旅する イングリッシュガーデン

図説 英国庭園史

横 明美 [著]

八坂書房

扉：メアリー・ヘイラー《綺麗に咲いた、花はいらんかねぇ》部分

【プロローグ】
イングリッシュガーデンの真実を探す旅にでかけましょう！

秘密の花園はいつでも開いています。
……開いて、目覚めて、生きています。
真っ直ぐな心で見れば、この世はすべてガーデンなのです。

映画『秘密の花園』より

　庭園の持つ癒し効果を描いた、フランシス・H・バーネットの名作『秘密の花園』という小説を知っていますか？　フランシス・コッポラ製作のハリウッド映画として、1993年に映画化されました。両親を亡くし心を閉ざした少女が、引き取られた叔父の家で打ち捨てられた秘密の花園を見つけ、小さな手で再生を始める。その庭園の回復が、悲しみと苦しみから周囲の人々を解放し、刺々しく無感情に陥っていた心に喜びを芽生えさせ、家族の絆をも回復させるというお話です。
　映画では主役の少女メアリー役のケイト・メイバリーの硬い表情が、花が育つ度に和らぎ、とても愛らしく描かれました。イギリス北部の荒涼たるヒースの丘と、一面真っ青なブルーベルの森、整然とした風景庭園、そして夢のような花園（これはセットだそうです）。案内役になった胸の赤いロビン（ヨーロッパコマドリ）が人を恐れないところまで、それはそれはリアルに表現されています。監督のアニエスカ・ホランドは、子供の頃夢中になってこの本を読み、「活力と強さと、詩的な情感があり、何よりも希望がある」と感動したそうです。筆者にも「秘密の花園」の匂い立つ爽やかさに、イギリスへの憧れが芽生えた思い出があります。
　ところで日本庭園は、日常ならざる幽玄の世界を表現し、家の中から愛でるものとして発達しました。大名庭園のように散策するものもありますが、どちらかと言えば畏まって観賞するものです。しかし、英国のガーデンは、日常と切り放せないので、両国の庭に対する生活感には、決定的な温度差があったものでした。
　しかし、各地に本格的なイングリッシュガーデンが出来たり、グラビアの美しいイングリッシュガーデン特集の雑誌を見かけると、日本人の考え方が変化していることを感じます。世界中で愛されるイングリッシュガーデンは、英国を代表する文化であり、驚くべき生きた芸術です。人を温かく包み込むようなその美しさは、どのようにして生まれたのでしょう。

❖ ガーデンは生きた空間芸術

　人の手が入らない限り、野生状態では植物は成長し続けます。しかし、一旦成熟すると、植物同士が均衡を保ち、森林や野原、特殊なものでは、ジャングルや高山の御花畑ができあがります。この状態を、生物地理学では「究極の風景」と呼びます。

　庭でも植物は同じように振舞いますが、人が雑草を抜き、メンテナンスすることで人工の平衡状態を保っているのです。庭を形作る主材料である植物は生きていて、常に形を変え、生死のドラマを繰り返す。その変化や気候風土を配慮し、日本には日本庭園、イタリアにはイタリア庭園などと、国や地域、そして時代によって異なる様々な美しいデザインが生まれました。

　でも、どんなに素晴らしくても、植物は生きていて日々刻々変化します。特に草本類を多用するイングリッシュガーデンは、弛まぬメンテナンスが必要で、あるイギリス人ガーデナーは、「必要としない場所に植物が在る時、我々はそれを雑草と呼ぶ」と言うほど有用か無用かの区別もつき難いのです。

　植物の価値は、時代の趣味に大きく依存します。大人気のイングリッシュローズも、野に咲くノイバラも同じ薔薇ですが、好みに従い、必要かどうかを選り分けられるのです。少しでも人の手が入らないと、生存競争の末に要らない植物が庭を覆い尽くし、好ましくない野生状態に陥るから、そのバランスを保つのは容易なことではありません。

　つまり、庭作り＝ガーデニングとは、人と自然が協力し、人工の「究極の風景」を作り出す、空間と時間を越えた特殊で特異な、常に変化し成長し続けるアート、希有な生きた空間芸術と言えるでしょう。

❖ イングリッシュガーデンの魅力は多様性と国際性

　読者はイングリッシュガーデン（イギリスの庭）に、どんなイメージをもっていますか？　美しい蔓薔薇やクレマチスの門、青紫に染まるデルフィニウムと一緒に揺れるかすみ草、イギリスの深い森を連想させるジキタリスやブルーベル、こんもりとした銀色の葉に霞む紫のラベンダーやサントリナ、足下から心地よい香りを上らせる小さな薄桃色のタイム。こんなロマンチックな風景でしょうか。どちらかと言えば、女性的な花々の楽園というイメージが強いですが、一概にそうとも言えません。庭作りをする人の人数分だけ千差万別なのです。

　イギリス諸島はメキシコ湾流によって温暖ですが、実は樺太の北に匹敵するほど高緯度にあります。夏は日本の5、6月くらいの気温にしかならず、夜11時く

らいまで明るいので、貴重な太陽の光をたっぷりと浴びる恵みの季節に、アウトドアライフは欠かせません。つまり屋外の部屋を丹精する庭作りは、最高の余暇なのです。

なぜ庭を作るのかと彼らに質問すると、「私達にとって家は城、庭はその城の延長だよ」と答えます。家の周りも自分の個性を発揮し、壁紙、家具や調度品を選ぶように、ガーデン・ファーニチャーや植物で飾るのが大好きです。ガーデンも屋外の部屋だから、庭がなければ家は完成しません。食事に誘うときは、家でもてなすのが普通ですから、夏は外でご自慢の庭談義が花を添え、ちょっと変わった植物や彫像、目新しい庭のデザインが、パーティーを盛り上げるのです。

もちろん、ガーデニング哲学も千差万別。例えば精神の安らぎを求めた庭には、日本庭園の影響が見られます。また食の安全を求め、有機農法で野菜やハーブを育てたり、ビオトープのような水辺を作り、見かけなくなったヤモリやカエル、トンボなどの野生生物が帰ってくるのを楽しむ庭、あるいは旅行先で出逢ったジャングルを再現したくて、トロピカルな植物を植える人もいます。もちろん、英国の花、薔薇をコレクションする伝統的な庭の人気は根強くあります。

庭作りのアイデアを戴くためのガーデン見学も、驚くほど盛んなレジャーです。村単位で個人の庭をオープンする、ヴィレッジ・オープンデーもあり、毎年発行される『イエローブック』という本には、全国の団体、個人が、何月何日に庭をオープンしますという情報が満載されています。またチェルシーフラワーショー等、全国規模、地方規模の園芸ショーで、新しい花を見つけるのも彼等の楽しみです。

一般家庭の窓は大きく、カーテンは出かけていても閉めないから、通行人さえ裏庭まで見通せます。通りに向かって閉鎖的なイタリア建築等と比較すると、ガーデンは限りなく開け放たれているのです。建物の延長が庭園というのは、どの国でも同じですが、イギリスの場合は際立って外向的。都市では、建物に取り囲まれたパティオやテラスガーデン、あるいは屋上庭園のような場所もありますが、ロンドンでさえ家並みは、必ずと言っていいほど前庭（フロントヤード）と裏庭（バックヤード）で構成されます。前庭は個性を競い合い、しかも街全体の調和を保つ場所です。田園にある家は、最初の人工的な自然が庭園で、開け放たれた境界線からは、まるで牧場や森林へと無限に広がっていくようです。

常緑の樹木を、仕上がった形の状態で植え込む日本庭園とは異なり、一年草から樹齢何百年の大木まで利用し、しかも世界中の植物、ありとあらゆる国や地域のデザインを取り込もうとするイングリッシュガーデンほど、多岐にわたる知識と経験、デザイン力を要するものはないでしょう。色と変化、香りに満ち満ち、

千差万別で、二つと同じ庭はありません。世界中の人々を惹き付ける理由は、その多様性です。

　困ったことに、この多様性を一つのコンセプトで括るのはとても難しいのですが、それでも読者はやがてイングリッシュスタイルという雛形に辿り着くはずです。その鍵は、やはり彼らの植物に対する情熱です。世界中からやって来た植物が、幸せそうに隣り合って咲く温暖な気候に助けられ、多様な花々を咲かせる。その見事な生きた空間芸術の技に驚かされるでしょう。

　さて、こんな笑い話が。アメリカ人の大富豪がイギリス人の庭園長に、「なんて美しい芝生なんだろう。家（合衆国の）に来てこれを作ってくれないか。どのくらいの期間で出来るのかい？」と聞きました。すると庭園長はこう答えました。「そうですね、数百年もあれば。」緑豊かなイギリスの芝生は、お金に飽かして一朝一夕では完成しない、先祖代々受け継がれたものです。芝生でさえ数百年必要ならば、ましてあの緑なす森や牧場には、どんな逸話が隠されているのでしょうか。

❖楽園の回復と「荒れ地」を耕す喜び

　ヨーロッパでも日本と同じように、過疎化が問題になっています。けれどもイギリスでは、国民の多くが「田舎で庭を持つ」という夢を抱くので、田園が豊かに機能しています。ぼろぼろの廃屋や耕されなくなった農地を購入し、住みながら自分達の好みに変えて行くというDIYはとても人気があり、その姿を伝えるドキュメンタリー番組も盛んです。毎週経過を追ううちに、涙と笑いの奮闘に共感した視聴者が、DIYスターを次々に誕生させるという不思議な現象まであるのには驚きです。それは失われた「エデンの園」を回復するという、イギリス人の根源的な哲学が、等身大で映し出されるからなのでしょう。

　イギリスを愛したアメリカの詩人 T. S. エリオットは、20世紀を「荒れ地の時代」と呼びました。荒れ地を見ると読者はどんな気分になりますか？　沢山の人は、力が萎えるかもしれません。ところがイギリス人にとっては、「さあ、どんなエデンに作り替えよう？」と、希望を膨らませ腕が鳴る場所なのです。

　この本では、イギリス庭園文化の歴史を追い、自らを Nation of Gardeners（園芸家の民）と呼ぶほどに深い、彼らの愛着が育まれた土壌の真実を探る旅に出ます。その魅力の秘密を繙きながら、筆者の写真を交え、折りにふれ見学出来る庭園も紹介し、実際に庭園史の旅に出かける案内にもなればと願っています。

◆目　次◆

【プロローグ】
イングリッシュガーデンの真実を探す旅にでかけましょう！ ──── 3

*

第1章　レモン香るローマ帝国領ブリタニアの庭 ──────── 9

第2章　芳しいハーブ溢れる修道院の庭 ──────────── 19

第3章　オールドローズ咲く中世世俗の庭 ─────────── 35

第4章　女王のお気に召すままに：チューダー朝の庭 ───── 50

第5章　フランスの壮大さとオランダの園芸と：スチュワート朝の庭 ── 64

第6章　楽園の回復：プラントハンターと植物園 ─────── 78

第7章　大地に描くロマンチックな絵画：イギリス風景庭園 ── 94

第8章　ピクチャレスクとガーデネスク：
　　　　リージェンシー・ロマンスと花園の復活 ─────── 109

第9章　栄光の表現とスタイルのバトル：ハイ・ヴィクトリアン ── 123

第10章　カラースキームの光彩：
　　　　エドワーディアンとネオ・ジョージアンの庭 ───── 137

第11章　埴生の宿への憧れ：コッテージ・ガーデン ────── 153

*

【エピローグ】
イングリッシュガーデンを作る人々 ──────────── 167

*

本書で取り上げた庭園一覧 ──── 180
参考文献一覧 ───────── 182
索　引 ───────────── 185

ハロルド・ハーベイ
《1917年、夏》

第1章
レモン香るローマ帝国領ブリタニアの庭

> ヴィッラ・アドリアーナ(イタリア)
> フィッシュボーン・ローマン・パレス
> ポンペイ遺跡、ヴェッティ家中庭(イタリア)

地の続くかぎり、種蒔きも刈り入れも、
寒さも暑さも、夏も冬も、昼も夜もやむことはない。

『旧約聖書』「創世記」

❖ ノアの葡萄園からバビロニアの空中庭園へ

　キリスト教の聖典『旧約聖書』の「創世記」には、大洪水の後アダムとイブの子孫ノアが、葡萄園を作り葡萄酒を醸造したとある。ノアの箱船が着いたと言われる、アララト山麓の国アルメニアを筆者は訪ねたことがある。標高1000mの肥沃な大地に、透明な太陽光が燦々（さんさん）と降り注ぎ、山岳からの湧水が町中に滾々（こんこん）と溢れていた。水が豊かで地味が肥え、日照時間が長いので果物は甘く芳しい。また野生の小麦はこの国で発見されたから、ノアの話も夢物語ではないかもしれない。

　ノアのように人は最良の土地を探し、農業を営み、農耕の技を磨いたが、やがて豊かになると、喜びのための園を作り始める。園芸とは芸術、技術そして科学の混成物で、その民族や国の心から自然までを反映する鏡のような文化だ。

　まずはイギリス庭園に影響を与えた、古代の庭を見ていこう。ノアと同じく『旧約聖書』に登場するアッシリア王ティグラト・ピレセル（プル王）は、紀元前8世紀イスラエル王国に大勝利した。古来、香木の建築材として重用された憧れのレバノン杉を戦勝記念として持ち帰り、王家の巨大なパークに植え、有頂天になっている〔パークまたはパルクとは、ペルシャ語の囲まれた場所が語源で、果樹園や狩り場を延々と塀で囲んだもの。エデ

レバノン杉（19世紀の銅版画）

ドイツの画家フェルディナント・クナープによる「バビロニアの空中庭園」(1886年)

ンの園を意味するパラダイスと同語源。現在では公園や遊園地の意味で使うが、囲い込んだ御猟場がもとの意味〕。

　かつてレバノン山脈を覆ったこの杉は、レバノンのカディーシャ渓谷にわずかに自生林が残され、世界遺産になっている。また19世紀のヨーロッパでは、庭園にレバノン杉を植えるのが流行ったが、今や樹齢100年を超えた巨木に育っている。

　交易や戦争は古来、世界の植物層に多大な影響を及ぼした。今ではその国になくてはならない植物が、在来種でない場合は思いのほか多い。例えば、レモンの木のないイタリアのパティオや、林檎の木のないイギリスのバックヤードは想像出来ないが、それぞれ北インドと中央アジアから伝播している。日本の椿や桜、紫陽花も、今ではヨーロッパ庭園になくてはならない植物だ。

　古代の庭園で最も有名なのは、バビロニアの空中庭園だ。ペルシャから輿入れした王妃は、故郷の自然を懐かしがった。困り果てたネブカドネザル2世は、王妃を慰めようと、ペルシャの植物で溢れた庭園を作る。紀元前6世紀頃のことで、そこには階段状のテラスが連なる巨大な屋上に、植物が繁茂していたという。

　現代でこそ、地球温暖化や省エネ対策として屋上庭園を営むが、人工土や高度な灌漑技術がない2600年もの昔には、信じられない光景だったはずだ。空中庭園は古代ギリシャの旅行家によって記録され、ギザのピラミッドやアレクサンドリアの燈台と並ぶ「世界の七不思議」に数えられている。

❖古代ギリシャの列柱廊とレモンの鉢植え

　ギリシャは乾燥した時期が長く地味は貧しいが、農業や園芸に関する沢山の本が残されている。彼等は1年ごとに休閑期を挟み、小麦を育てる乾燥農業を行ない、

オリーブや葡萄栽培で栄えた。園芸技術は高度でも、小さな都市国家が乱立し個人所有の土地は狭く、初期のギリシャ庭園はこれという特徴を持たなかった。彼等にとっての庭は、人工的なものではなかったと筆者は考える。水仙、アネモネ、蘭、ポピー、シクラメンなど、花々が日を追って咲き競う野辺に、自生種のタイムやローズマリー等のハーブ類が薫りを添えるギリシャの自然は美しく豊かだ。あえて庭は必要ない、自然こそが庭という考えが彼等にはあったようだ。自然を愛で山野草を愛する気持ちは、18、19世紀イギリス人の心もゆり動かすが、これは後ほど。

ところが豊かになり始めると、ギリシャ庭園事情は変化する。エジプト、ペルシャなど高度な文明との交流が盛んになり、神殿や広場、競技場や劇場の周囲に、糸杉や月桂樹、プラタナスが整然と並ぶ木陰を作り始めた。小径に大理石の彫刻を規則正しく飾りつけたのはギリシャ人で、心地よい水の音をたてる噴水も添えた。

アリストテレスの逍遥学派は、歩きながら学ぶことで知られる。彼の学園リュケイオンには真っ直ぐに仕立てた並木道があり、学生達は涼やかな木陰を散策して議論を闘わせた。東方に大遠征したアレクサンダー大王は、そのアリストテレスの弟子だ。東征の結果としてヘレニズム文化が起こり、ギリシャ人の庭はより建築的、人工的になる。この変化によってギリシャ庭園が後の世に最も貢献したのは、ペリスタイルと呼ぶ列柱を庭に導入したことだ。ドーリア式、コリント式等のギリシャ風の柱は、整然とした威厳と高貴さ、そしてロマンチックな美を庭園に添えた。

東方では囲いの中に美しい果樹園を作るが、その影響でギリシャ人も果樹を樹木と一緒に植えるようになる。アレクサンダー大王は、北インド原産のレモンや中国原産の桃の種を送り、師の学園リュケイオンで栽培方法を研究させた。

常緑で樹形が真っ直ぐなオレンジやレモンの柑橘類は、永遠性の象徴と考えられた。特にレモンは花と実が同時に付き、気候さえ許せば常に実を宿すから、後にはエデンの園の常春の植物と見なされるようになる。そのためヨーロッパでは、ルネサンス期に柑橘類が永遠の命のシンボルへと転化していく。アルプスより北の国々では、柑橘類は明るい太陽と青い空の地中海地方、特にイタリアを象徴す

クレタ島、アムニソスの家のユリの壁画
（前1550-前1500年）

第1章 レモン香るローマ帝国領ブリタニアの庭

る憧れの果樹になった。ゲーテの詩に題材を取った、♪君よ知るや南の国、レモンの花咲き、オレンジの実る国〜で知られる、トマ作歌劇『ミニヨン』には、その暖かく優しい風にレモンの花の馨しさが漂う。

　温室はもともと柑橘類を入れる場所だった。現在でも、ヨーロッパ各地のイタリア風庭園には、柑橘類の巨大な鉢植えが置いてある。北方では耐寒性のない柑橘類を入れる温室が発達するが、イタリアではレモンのイタリア語リモーネよりリモナイア、英語、仏語ではオレンジから派生してオランジェリーと呼ばれる。

　植物を植える素焼きの植木鉢をテラコッタと言うが、これは焼いた土という意味だ。最も古い鉢植えが発掘されたのは、地中海に浮かぶクレタ島のミノス王の王宮跡だった。鉢の下に水路を通す灌漑施設が完備していて、この方法は1000年後の紀元前3世紀、古代ギリシャのアテネ神殿でも使われた。

❖ローマ帝国領ブリタニアの誕生

　さて、そろそろイギリスの話をしよう。勇敢なイギリスの先住民ケルト人は、体中を青い染料で入れ墨し、槍と馬だけで奇声を上げて襲ってきた。さしものローマ兵も彼等を恐れたが、遂に紀元前55年、ジュリアス・シーザーによってブリテン島は征服される。実質的な支配は、紀元43年クラウディウス帝の遠征後に始まるが、彼は4万の兵士と戦闘用の象を伴って上陸する。

　古代ローマ人は偉大な建築家だった。例えばイギリス各地に残るローマ街道は、どんな辺境にも迅速に軍隊を派遣するため、2世紀には北のスコットランドに達している。どんな経路を辿ってもやがては真理に行き着くという意味の、「全ての道はローマに通ず」という諺がある。ローマ帝国の道が小アジア、北アフリカ、ヨーロッパ地域にくまなく巡らされ、必ずローマに行き着いたことに由来するが、イギリスの庭園史に関しても、この諺は例外ではない。

　南西地方からローマ人は植民し始め、ケルト人も徐々にローマ化した。この新しい領土はブリタニアと呼ばれ、ローマ風呂や上下水道などの完備した清潔で快適な街づくりが始まる。やがてケルト人の特権階級も、この贅沢な生活様式を享受し始める。豪勢な建築、熱い風呂、流行の衣服、いつ果てるとも知らぬ晩餐会は、ブリテン島にも持ち込まれ、辺境の質素な生活は一変した。

❖小プリニウスのトスカーナ荘：大貴族の庭園

　古代ローマ人は、夏の暑さや冬の寒さを避け、郊外に好んでヴィッラ（別荘）を営んだ。紀元1世紀の学者小プリニウスは、ポンペイ大噴火を記録しようとして死

亡した博物学者大プリニウスの甥にあたる。彼はイタリアのトスカーナ地方にあった、自分の別荘について記した。トスカーナ荘と呼ばれ、起伏に富んだ場所にあり、眼下にはアルノ川、遠景にはアペニン山脈が聳え、風光明媚だったようだ。

「我家の様々な配置は、とても心地よいものだけれども、領地の中央にはなれてあるヒッポドロム〔注：ギリシャ時代盛んに作られた馬蹄形の競技場。夏は日陰になる柱廊を廻らし散策に適したので、ヴィッラの庭園の形として取り入れられた〕は、比べ物にならないほど美しい。そこに入れば、すぐさま全景が眼前に広がる。アイビーに覆われたプラタナスが並び、上部は繁茂しているが、枝と幹にはアイビーの緑が絡み付き、さらに枝から枝へと伝い、木々を繋ぐ花綱になっている。プラタナスの間には、ツゲが、その外側には月桂樹の茂みが立っていて、色の異なる緑が溶け合っている。
　このヒッポドロムの真っ直ぐな境界線は、最後には形を変えて半円形になる。そこには糸杉が茂り、深く薄暗い影を落としている。一方、半円形の内側にはいくつかの円形の小径があり、心地よい日溜まりがある。そこには薔薇が咲き乱れ、日陰の涼やかさと太陽の暖かさとの、素晴らしいコントラストを見せる。いくつかの渦巻き状の小径を通り抜け、真っ直ぐな通りに出ると、また様々に変形したツゲで縁取られた小径に通じる。ある場所は小さな花咲く草地、他はツゲを所有者や作者の名前など、1000個もの違った形に刈り込んだ所もある。一方、あちこちに小さなオベリスクと果樹が交互に並んでいる場所もある。このように、優雅な規則性の中に、突然自由奔放な自然を真似た花壇があるのには驚かされる。……
　終点には白い大理石で出来た四阿がある。4本の大理石柱が支えるのは、陰を作るための葡萄の蔓だ。そこにある半円形の長椅子からは、いくつかの小さなパイプを伝って、まるで人の重みで繰り出されるように水が吹き出す。水は下の石の水槽に落ち、やがて美しく磨かれた大理石の水盤に集まるが、常に一定の水量であるように設計されているから、決して溢れることはない。ここで食事をするときは、この水盤がテーブルになる。大きな皿は縁に置かれるが、軽食は舟や水鳥の形の入れ物に入れて、浮かべられる。……
　四阿に面して優雅な大理石の夏の家が建っている。これはそれ自体が素晴らしい庭の添景物でもある。ドアを開けると緑のエンクロージャー（囲い地）になっていて、上の窓からも下の窓からも、様々な緑が目に飛び込んで来る。その隣には小部屋があり、寝椅子がある。四方に窓があるにもかかわらず、屋根にまで繁茂した葡萄棚が作るうす暗い雰囲気のために気持ちがいい。横たわれば、多分あなたは森の中だと思うだろう。違いは屋根があって、天候に左右されないことだけだ。ここで

小プリニウスの記述によく似た特徴を持つ
海辺のヴィッラ（ポンペイ出土の壁画）

も噴水が現れては消える。」

　これは長い手紙の一部に過ぎないが、トスカーナ荘がいかに巨大なヒッポドロムを持っていたかが伺える。考えうるあらゆる趣向を凝らし、人工美と借景の自然美が織りなす巨大で複雑な庭は、屋外のダイニングルームで、寝室にもなった。ローマ人は、長椅子に横たわり食事をし、贅を凝らした宴は終りを知らず、詩や歌、踊りが興を添え、水の流れも様々な交響曲を奏で、鳥小屋の小鳥がそれに共鳴した。

　プラタナスにまとわりつくキヅタとは、おそらく一定の間隔で渡した花綱仕立て。背の高い木の下には、球型や三角錐、円柱などに刈り込んだ灌木を等間隔に配置した。樹木は彫刻のように刈り込まれ、動物や人、あるいは幾何学的な形に仕上げてあった。トピアリーというこの剪定技術を、プリニウスは topiara opera（庭の添景の技）と呼んでいるから、トピアリーの語源はこのあたりから来ているのだろう。古代ローマでは、樹木さえ建築材料だった。驚くことに、動物や英雄の姿に彫刻するだけでは飽き足らず、戦艦や狩りの物語までが表現された。また持ち主やデザイナーの名前もあり、1000体ほどにもなったようで、さながら彫刻の森だ。生垣や延路の縁には、波状に刈られたツゲの生垣があり、花壇の内側には花を植えた。また垣の壁面を一部後退させアルコーブを作り、そこに石の彫刻を配置している。

■ ローマ皇帝の別荘：ヴィッラ・アドリアーナ（ティヴォリ、イタリア）
Villa Adriana

　五賢帝に数えられたハドリアヌス帝が、2世紀前半に作らせたのが、ヴィッラ・アドリアーナだ。ローマ郊外ティヴォリにあり、敷地面積約80haの広大な丘の斜面に、確認出来るだけで30以上の建造物、900以上の部屋が廃墟となって点在する。15世紀より発掘が始まったもので、植物に関しては具体的に何も分かっていないが、海外から取り寄せただろうことは想像出来る。

帝国中をくまなく廻った皇帝は、遠征先での素晴らしい思い出をヴィラに再現した。例えば、海浜劇場はエジプトのナイルデルタをモチーフに作られた。円形の回廊が囲んだ池に中島があり、ドーナツ型の建物が小さな部屋に仕切られ、中央の吹き抜けには噴水が水音をたてる。またアテネ

ヴィッラ・アドリアーナの海浜劇場

の列柱廊を模したものもあり、まさしく、古代のアミューズメントパークになっている。

大変広いので、十分に時間をとって出かけたい。

◎ http://whc.unesco.org/en/list/907

イギリスのヴィラ：フィッシュボーン・ローマン・パレス
（チチェスター、ウェスト・サセックス州）
Fishbourne Roman Palace

1960年、イギリスはサセックス州のフィッシュボーンという小さな村で、水路を掘っていた工夫が、古代遺跡を大量に発見する。それは予想を遥かに越え、敷地面積150㎡というバッキンガム宮殿に匹敵する、巨大な宮殿跡だった。アルプス以北で発見された遺構としては、最大級のものだ。

持ち主は征服に加担した土着の王族、コジダブヌスのものと推定されている。その名はローマの歴史家タキトゥスの本『ゲルマニア戦記』にも登場する。1723年に、近隣

フィッシュボーン・ローマン・パレスの復元された庭園

「天使とイルカ」のモザイク

の古都チチェスターで発見された大理石にも彼の名が刻まれ、それにはベスパシアヌス帝（在位70-79）により地方長官に任命され、ローマ元老院の選挙資格も持つとあり、被征服民の王としては破格の待遇を受けている。

宮殿はまったくのローマ風だ。四翼からなる長方形で、100もの部屋とローマ風呂があり、各部屋の床にはモザイクが敷き詰めてある。特に北翼の「天使とイルカ」のモザイクは、フランスからの輸入品を使っていて、約36万枚のタイルで仕上げた見事なものだ。部屋は宮殿の中央にあるペリスティリウム（中庭）に面したペリスタイル（列柱廊）で繋がっている。中庭は縦約70m横約90mの巨大な長方形で、中央に幅約12mの堂々たる砂利道が貫いていた。発掘調査の結果、この歩道に沿って波形の生垣跡が見つかり、現在は常緑樹を植えて復元してある。おそらくここには薔薇やローズマリー、ユリ等も植えてあったのだろう。

フィッシュボーンはその名が示す通り、深い入り江に面している。南の翼廊からは、海に向かって開かれたテラスがあった。そこではシェンケーヴィチ作の小説『クオ・ワディス』のように、こんな場面が展開したのだろう。

「いま柱廊の下でこれを書いていますが、ここからは静かな入り江が見え、入り江ではウルススが舟を浮かべて、澄んだ深みに網を投げています。妻はわたしの側で赤い毛糸を紡いでいます。庭のはたんきょうの木陰で奴隷たちが歌をうたっています。おお、親しき友よ、なんという平和な光景でしょう。」（木村彰一訳）

イタリアよりずっと寒いイギリスでも夏は列柱廊を楽しめたが、ほとんどの季節には太陽の享受より悪天候を避けるために機能したはずだ。ハドリアヌス帝が、蛮族から守るために作らせたハドリアンズウォールのある北方では、庭よりも温かいローマ風呂の方がローマ人にはもっと必要だっただろう。

しかし寒い天候に慣れっこのケルト人は、農耕の民だったから、新しい知識を取り入れ、野菜や果樹を育てハーブを薬草に使うことを熱心に習った。ローマ人はブリタニアに400種類以上の植物を伝えている。キャベツ、リーク、タマネギ、キュウリなどの野菜、バジル、タイム、ラベンダー、コリアンダー等のハーブは、以後なくてはならない植物になった。

庭園の北側半分が復元され、宮殿の遺構は博物館の中に展示してある。

◎http://sussexpast.co.uk/properties-to-discover/fishbourne-roman-palace

ポンペイ出土「黄金のブレスレットの館」の壁画

都市の庭園：ポンペイ遺跡
ヴェッティ家中庭（ジャルディーノ・ディ・ボボリ内、フィレンツェ）
Archaeological Areas of Pompei
the garden of the House of the Vettii（Giardino di Boboli）

　ブリタニアでは、先住のケルト人は町社会を形成していなかったが、ローマ支配とともに、ロンドン、カンタベリー、エクセター、北ではヨークやカーライル等、今でも重要な都市ができた。そんな都市の庭の好例が、イタリアのナポリ近郊の世界遺産、ポンペイ遺跡にある。

　このような街家はドムス（家）と呼んだ。貴族のヴィッラほど大規模ではないが、必ず列柱廊に囲まれたペリスティリウム（中庭）があり、心地よい水音のする青空の天蓋を楽しんだ。庭園の様子を知らせる、様々なフレスコ画が発見されている。

　例えば、Casa del Bracciale d'Oro（黄金のブレスレットの館）には、トロンプルイユ（だまし絵）という古代の立体画法で、美しい植物が一面に描かれている。背の高

ジャルディーノ・ディ・ボボリ内に復元されたヴェッティ家の中庭と噴水

いキョウチクトウ、薔薇、ナデシコやシロユリ等が繁茂し、芳しさが漂う。白い大理石の噴水では鳥が水浴びをし、足下には蔓植物を仕立てるのに使う格子状のフェンス、トレリスが描かれている。プリニウスのように、お気に入りの庭園を自慢したかったのか、それとも空気の悪い都会でも、清涼で豊かな自然を思い出したかったのか、郊外のヴィッラの絵もたくさん見つかっている。

　ポンペイのドムスの中でも、最も保存状態がいいのは裕福な商人の家ヴェッティ家だ。本物も修復され見応えあるが、全体の雰囲気に関してはフィレンツェの旧市街にある、ジャルディーノ・ディ・ボボリの一角に復元されたものが参考になる。

　庭園に隣接するピッティ宮殿は、ルネサンス期に威勢を誇ったメディチ家の邸宅だった。ジャルディーノ・ディ・ボボリは、イタリア露壇式庭園で、ルネサンスに発達したこの形式には、ギリシャ・ローマ時代の影響があちこちに見られる。例えば糸杉の林立する並木道や、半円形の観客席がある劇場、アンフィテアトロがそうだ。

　ヴェッティ家の復元中庭は、Island Pond（アイランド ポンド）の後方、リモナイアに面したViale della Meridiana（ヴィアーレ テッラ メリディアナ）側にある。ドーリア式の列柱廊が長方形のペリストリウムを囲み、明るい青空が四角く切り取られ、強烈な太陽光が列柱の縦溝に、青ざめた縞模様を写し込む。白い大理石（レプリカはファイバー素材）とのコントラストは、強い日差しだからこその芸術だ。生垣は常緑樹で整え、薔薇が植えてある。心躍るのは復元された噴水の音だ。中央の通路や四隅にある小さな噴水から、また小さな彫刻の後ろから水盤に向かい放射される。きらきらと黄金に輝く水は留まるところを知らず、わき上がり流れ落ち、せせらぎの合唱になる。水は列柱廊に沿って掘られた水路に、最後には集まるようになっていて、トスカーナ荘の噴水と水路のミニチュア版を思い出させる。

　列柱と庭だけが復元され、ポンペイ特有の壁画がなく、かえって静寂な雰囲気が漂う。ヴェッティ家のような庭は、宮殿よりもずっとたくさんイギリスにあったはずで、おそらく控えめなケルト風色彩のフレスコ画で飾られ、ローマ帝国の力が衰えるまでの3世紀間、イギリス全土に広まっていた。

◎ http://www.gardenvisit.com/garden/pompeii_gardens

◎ http://www.bbc.co.uk/history/ancient/romans/pompeii_art_gallery_01.shtml

ジャルディーノ・ディ・ボボリ　糸杉の並木道

第2章

芳しいハーブ溢れる修道院の庭

ノートルダム・ド・レラン修道院（フランス）
ヘネラリフェ離宮（スペイン）
サン・マルコ美術館の回廊庭園（イタリア）
クロイスター美術館（アメリカ合衆国）
シュルーズベリー・アビー
聖アンドリュー大聖堂と司教宮殿跡

　　手作りのパン、庭先で採れた野菜、新鮮な牛乳、田園で採れたこれらの食べ物は、
　　　　　　見た目には質素であるが栄養にとんでいる。……
　　夏には木陰で人目を避け、秋には心地よい空気と木の葉が休息の場を与えてくれた。
　　春には花が咲き乱れ、小鳥のさえずりのうちに、詩編＊がいとも美しく歌われる。

　　　　　　　　　　　　朝倉文市著『修道院』

＊詩編：イスラエルのダビデ王ら
が書いた『旧約聖書』中の詩集

❖ローマの田園から修道院の詩編へ

　古代ローマ末期の聖書学者ヒエロニムスは、ローマの富豪、未亡人マルチェラが、志を同じくする者と共同生活を始めた様子をこう伝えている。勤勉で公共に貢献するローマ人の誇りは、帝国の拡大とともに消え去った。市民の御機嫌取りに、皇帝は無料のパンや拳闘士の闘いを提供したが、ゲルマン民族大移動の前に腐敗した快楽主義は敗北し、ローマ帝国は衰弱の一途を辿る。現世に幻滅した人々は、心の平安と来世での幸福を求め、困難に直面してキリスト教に帰依した。

　マルチェラ夫人の住まいは、ヴィッラを転用したものだろう。神の平安を求めるのに、贅を尽くす必要はないが、外敵からの安全確保は不可欠。開け放たれた住まいは消え、高い壁に囲われた内なる園が生まれた。西洋の修道生活は、古代ローマ時代の文化的遺産とともに、四季を愛でる牧歌的な豊かさを包み込んでいる。

　一方ブリタニアでは、ゲルマン系のアングロ・サクソン人が襲来し、人々を悩ませた。476年に西ローマ帝国が滅亡すると、不安定な群雄割拠の時代が到来する。殺戮と破壊の「暗黒の時代」は一見不毛だが、心の中を重視する価値観は逆に熟成していった。中世の人々は、「神の思し召しのまま」と、自然で敬虔なライフスタ

イルを望むが、この考えは19世紀以後のイングリッシュガーデンに、大きな影響を及ぼすので覚えておいて欲しい。

イギリス修道精神の原点：ノートルダム・ド・レラン修道院（サントノラ島、フランス）
Abbaye Notre Dame de Lérins

海は慎み深い者たちの静かな住家、世間からの断絶を学ぶ処、
真面目な人生を歩む者の隠れ場、
……小島は、聖なる満潮の平和な輪舞と相伴って、聖人の讃歌がこだまする。

アンブロジウス著『ヘクサエメロン』

　3世紀もの迫害をくぐり抜け、313年キリスト教はついに国教になる。この頃には、キリスト教徒であることがローマ人の精神的拠り所になっていた。

　現在のフランスにあったガリア辺境に住む人々は、北からの蛮族に悩まされていた。そのためローマ人貴族ホノラティウスは、410年頃北ガリアから、カンヌの沖合いにあるレラン諸島の一つ、サントノラ島に逃れる。彼等の祈りに満ちた離れ小島の生活は、やがてノートルダム・ド・レラン修道院の基礎になる。後にこの小さな島が、西方の霊的中心地になり、おびただしい数の司教を輩出すると誰が思っただろうか。伝道者はアイルランドにまで船出し、その教えを受けたケルト人達は、逆にブリタニアやヨーロッパ大陸へと旅立った。

　強い南仏の日差しの中地中海の潮風に吹かれ、島を半周ばかりすると修道院に着く。ひんやりとした石作りの礼拝堂の陰に入るや、静寂が圧倒し平安が沸き出した。カンヌ港の喧噪からたった20分の船旅なのに、まるでタイムスリップしたようだ。回廊では蟬の鳴き声までが至福の歌に聞こえる。南国らしいシュロの木が風に揺れ、禁制の門の向うには、薬用ラベンダー水を作るための畑が深く甘い紫の薫りを運ぶ。ここは香水の故郷プロヴァンス、夏は一面ラベンダー色に染まる。

　建物の反対側には、よく手入れされた有機農法の葡萄園が広がっている。21世紀の

サントノラ島の全景

今でも25人の修道士が、昔ながらの手作業でワインを醸造している、知る人ぞ知るワイナリーだ。全行程をお金に換算すれば天文学的だという。けれども労働の実は、神への捧げものであり祈りだという修道精神は、15世紀の間連綿と受け継がれた。

サントノラ島へは、カンヌからフェリーで20分。

◎ http://prunier.arcadevillage.com/ville/lerins.php

シュロが茂るノートルダム・ド・レラン修道院の庭

❖ シャベルを持つ聖フィアクル

> わたしが空腹であったとき、わたしに食べる物を与え、
> わたしが渇いていたとき、わたしに飲ませ、
> わたしが旅人であったとき、わたしに宿を貸し、
> わたしが裸のとき、わたしに着る物を与え、
> わたしが病気をしたとき、わたしを見舞い、
> わたしが牢にいたとき、わたしをたずねてくれたからです。
>
> 『新約聖書』「マタイの福音書」25章35、36節

「祈り、働け」と諭した修道会の祖、聖ベネディクトは、1日に6〜7時間の労働を課した。そのために修道院は、世俗からの経済依存を脱していた。

イエス・キリストの言葉に習い、彼らは貧富を問わず、どんな旅人も温かくもてなした。世俗から離れ争乱もない修道院は、慈悲深い手当てを持って敬愛される。霊と魂そして肉体を癒す病院でもあった。もちろん修道生活は自給自足だから、彼らは農業や園芸のエキスパートになる。ローマや聖地から新種の種や苗木が送られ、古代ローマの園芸や農業の知識も蓄積されていく。

修道士の中には、聖フィアクルのようにカリスマガーデナーもいた。アイルランド生まれの彼は修道院で育ち、聖書を学び黙想し耕作するのが幼い頃からのライフスタイルだった。とてつもないフロンティア精神の持ち主で、一人で隠遁することを何より好んだ。けれども洞窟で黙想し大地を耕す彼のもとに、人々は押し寄せた。

しばらくすると、フィアクルはフランスに渡る。「あなたが1日で開墾した土地をすべて授けよう」と言われ、深い祈りの後、大変な勢いで大地を掘り起こし、木

を切り倒し茨を刈り取り、人間業とは思えない速度で約 3.6ha の土地を開墾し終えたという。この奇跡の噂は瞬く間に広がり、再び民衆が手当や徳を求めてやって来る。当時の薬草は、ハーブを中心とした西洋生薬だった。グリーンフィンガー（花を上手に育てる人）のフィアクルの庭は、年を経るごとに有名になり、ついにはヨーロッパ中で知らぬ者はないほどになる。670 年に亡くなった後も、癒しの聖人を慕う巡礼者が後を絶たなかったという。

聖フィアクルは薬用植物、庭園やガーデニング、庭師の守護聖人になり、カトリック暦では 8 月 31 日や 9 月 1 日などが、彼の日になっている。奇跡の秘密が神業だったとしても、彼が高度な農業技術を身につけた農耕の民ケルト人だったことは見逃せない。今でも開墾や開拓と聞くと、イギリス人のモチベーションは急に上がる。フロンティア精神に富んだ DIY は、ブリテン諸島では相変わらず魅力溢れる生き方なのだ。

❖カール大帝御領地令

800 年になると、フランク王国のカール大帝（シャルルマーニュ）が、西はピレネー山脈からエルベ川、北は北海沿岸、南は中部イタリアまでを支配下に置いた。クリスマスにローマで戴冠式を執り行い、神聖ローマ帝国皇帝の称号を受けると、ビザンティン帝国に代わり、これ以後、欧州の西側はゲルマン人のものになる。

教会の整備や修道院の建設に熱心だったカール大帝は、イギリスはヨーク出身の学僧アルクインを招き、首都アーヘン（現ドイツ）に宮廷付属学校を創らせる。私達が知る現代ヨーロッパの三大要素、古典文化、キリスト教、ゲルマン的精神が融合し、ここに「カロリング・ルネサンス」が生まれた。カール大帝は教会の保護者として、神の世界と世俗を結びつけるきっかけを作った。復活を意味する美しい八角型のドームを戴いた世界遺産のアーヘン大聖堂は、王の黄金の棺を安置し、その権勢を今に伝える。

大帝は王領経営の指針を示し、「御領地令（Capitulare de Villis）」を発布した。70 章からなる法令集には、播種、耕作、収穫、牧草の刈り取り、葡萄の収穫、養魚場の管理などのノウハウが、詳しく指示されている。

王領荘園に植えるべき植物は、セージ、ローズマリー、キャラウェイ、ディル、ウイキョウ、様々なミント類、フィーバーフュー、チャイブ、コリアンダー、チャービル、パセリ、キュウリ、メロンや豆類、レタス、ニンジン、ゴボウ、キャベツ、林檎、セイヨウナシ、桃、マルメロ、アーモンド、イチジク等と、ハーブや野菜が 73 種、果物と木の実が 16 種リストアップされている。

この頃は、観賞より有用性が大切だった。ユリの根は古来傷薬として使われ、イギリスにはローマ兵が伝えている。野生のドッグローズの実は、ビタミンCが豊富なローズヒップとして、シロップで鎮咳に、乾燥して健康茶にした。

　とはいえ、ユリと薔薇で始まるリストには象徴的な意味があった。マドンナリリーは聖母マリアの純潔と貞節を表し、聖母訪問の祝日7月2日には教会を美しく飾った。また深紅のガリカローズは、聖霊の賜物とキリストの受難を示す。カール大帝が尊敬したアルクインは、イギリス人らしく花好きだったから、花を愛でながら神を黙想するため、宿坊の入り口にこのユリと赤薔薇を植えていた。

❖ザンクト・ガレン修道院の見取り図

　教会の公用語はラテン語だったから、修道士だけが希少な古書を読むことが出来た。アルクインも写本を求め、ローマまで足を運んでいる。ところが中世庭園のデザイン画はあまり残っていない。スイス東部のザンクト・ガレン修道院で820年に製作された平面図が、ほとんど唯一の資料だ。イギリス人庭園史家ペネロプ・ホブハウス女史は、ザンクト・ガレンの図には、古代ローマの農業書の影響があるという。平面図（→26頁）を見ると、薬草園と菜園の花壇は長方形に区切られ、庭仕事が効率よく出来るよう工夫されているが、コルメラ著『農業と木本類について』の以下の記述に照らしてみよう。

　「土地は花壇に分ける。しかし草むしりをする者達の手が、花壇の幅の半ばに楽に届くよう工夫しなければならない。そうすれば、雑草を取ろうとして苗を踏みつぶさず通路を歩けばよく、片側を草むしりした後、また他方を世話できるからだ。」

（アッシュ英訳より）

　ローマ人の北方での園芸方法は、板で周囲を区切り、水はけを考えやや盛り土にすることだった。実際、中世の図を見ると、この方法が広く採用されているのが分かる。1区画に1種ずつ植える実用的なデザインも、後には植物園で利用されている。

　果樹園に目を移そう。中央には水盤らしき十字架があり、長方形花壇の横には唐草模様がある。当時、果樹園は墓地にあったから、コンパクトに育てる工夫が必要だった。唐草模様は、壁やトレリスに果物を仕立てるエスパリエ方式（→24頁写真）を表す。1本の立木の頂点にだけ葉を茂らせる、スタンダード方式もこの頃から始まっている。

　南ドイツにいた10世紀の修道士ワラフレッドは、『囲われた園』という詩を残している。この本はザンクト・ガレンに500年も人知れず保管され、1509年に発見された。以後中世で最も面白いガーデニングに関する資料として版を重ねている。以下は亡き師に捧げた、師弟愛のほのぼのとした詩だ。

ローザ・ガリカ・オフィキナリス

ドッグローズ

林檎の花

ジャーマンカモミール

フィーバーフュー

ラベンダー 'ヒドコート'

コリアンダー

ローズマリー

果樹を壁に寄り添わせて育てるエスパリエ仕立て。石やレンガの壁が吸収した太陽熱を樹木に伝える古代人の知恵である。バスコット・パーク（→ 149 頁）の果樹園

中世のハーブ図鑑

編み垣で囲われた中世の薬草園
『田舎暮らしの利得』写本（1473-83年頃）より

チャイヴス

コモンセージ

ディル

ブロンズフェンネル

マシュマロウ

オレガノ

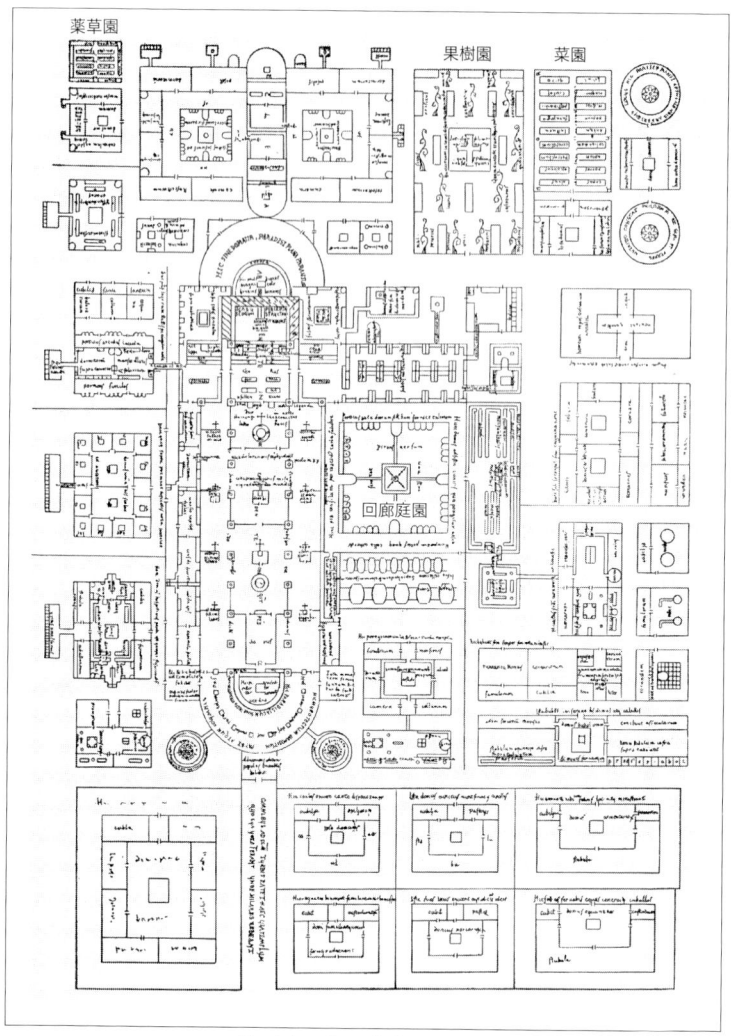

ザンクト・ガレン修道院の設計図
(原図からの書き起こし)

この小さな贈り物は……グリマルド先生、あなたに捧げます。
あなたが、ご自分の囲まれた緑園にお座りの、あの姿を描くことさえできます。
のっぽの木が投げかけた陰に、ぶら下がった林檎の実の下で。
そこでは桃の葉っぱもあっちやこっちに向きを変えていて。
太陽に当たったり、陰に入ったり、僕達は遊びながら、
あなたの幸福な生徒が、あなたのために集めるんです。

白くて柔らかい産毛の実に、思いっきり伸びをして、
大きな林檎を両手に掴むんです。　　　　　　（ペイネ英訳より）

❖祈りの回廊庭園：ペルシャ・イスラム庭園の影響

　次に、ザンクト・ガレンの回廊庭園に注目してみよう。設計図の中央部、聖堂の右側にある正方形の場所だ。庭は四分割され、中央に水盤らしきものが見える。ここはラテン語で「囲まれた場所」という意味のクラウストルム、英語ではクロイスターと呼ばれた。ヨーロッパ中で採用され、後にクロイスターと言えば、修道院を意味するほど重要な場所だった。中庭の部分だけを表す場合は、ガース（庭園）をつけて、Cloister Garth と言う。庭を囲む屋根付きの回廊は、一見ローマ時代のペリスティリウム（→1章）のようだが、柱は細く短くなり上部にアーチ状のスクリーンが付いている。この回廊庭園は、実はイスラム建築の影響を強く受けている。

　アラビア半島に発したアラブ遊牧民は、7世紀後半から100年間拡大し続けた。定住文化を持たなかった彼等は、周辺の高度な文化を乾いたスポンジのように吸収していく。砂漠の民にとって、豊かな水源と緑園はこの世の楽園だから、ペルシャ式の噴水と水路の溢れた囲われた園を見たとき、パラダイスの雛形だと直感した。中央の池から溢れ、東西南北四方に流れ落ちる水が、イスラム庭園の不可欠なエレメントとして普遍的に使われるようになり、征服地の中央アジア、北インド、北アフリカ、ヨーロッパでも噴泉が沸き上がった。

　イスラムの戒律では、人や動物の形を作るのは禁止だから、代わりにカラフルなタイルや精巧な水ポンプ、香り豊かな花々と果物、あるいはアラベスク模様が描き出された。ヨーロッパ勢力がイスラムの北進を止めたのは、732年のツール・ポワティエの戦いだった。スペインに君臨するウマイヤ朝のスルタンの庭の噂は、ピレネー山脈を越え、「楽しみの庭」の発想を伝えた（→3章）。

　しかし、聖職者達は別の意味でクラウストルムを取り入れた。中庭から回廊に差し込む光は神からの啓示であり、四つに別れる通路

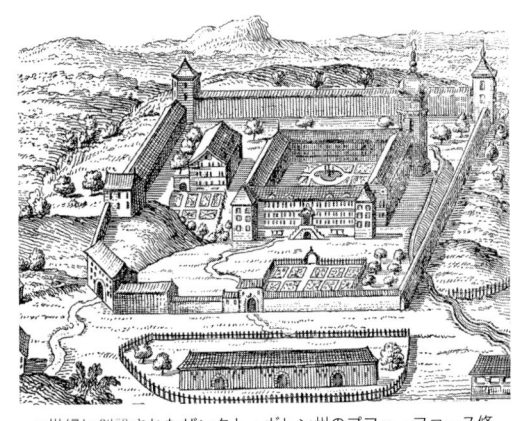

8世紀に創設されたザンクト・ガレン州のプフェーファース修道院。中央の建物に囲まれた回廊庭園がある（1723年の版画）

第2章 芳しいハーブ溢れる修道院の庭

は「創世記」にあるエデンの園の水源ピション、ギホン、チグリス、ユーフラテスに準えた。ローマ帝国崩壊で消えた噴泉が、キリストが与える命の泉の水音に変わり、修道士達だけの静寂な祈りに加わった。厳しい修業からひととき離れた回廊庭園のコミュニティー広場は、足を洗い身支度を整え、聖歌の練習や談話室の役割を兼ねていた。クロイスターは常に聖堂の南側に作られ日当りが良かったから、回廊の2階には、修道士達の個室が設けられるようになる。

ヘネラリフェ離宮（アルハンブラ宮殿、グラナダ、スペイン）
El Paseo del Generalife

　グラナダのアルハンブラ宮殿近くにある、14世紀のイスラム建築。高度な灌漑設備で、シエラ・ネバダ山脈の雪解け水を引いている。1931年に改修工事をして現在の姿になったものの、アセキアの中庭はイスラム庭園の特徴を残している。縦48.7m 横12.8m の縦長のパティオの中央には、二分割された細長い池があり、いくつもの小さな噴水がアーチを描く。その外側には花壇が配され、芳しいマートル（ギンバイカ）、オレンジ、西洋ヒノキ、薔薇などが植わっている。北と南は、精巧な透かし彫りのアーチでできた四阿（パビリオン）で閉じられ、1対の花形の水盤からも噴泉があがる。展望も素晴らしく、地上ならぬ天空の楽園のようだ。

◎ http://www.spain.info/ja/conoce/monumentos/granada/el_generalife.html

ヘネラリフェ離宮　アセキアの中庭

サン・マルコ美術館の回廊庭園
（フィレンツェ、イタリア）
Museo di San Marco

サン・マルコ美術館の回廊庭園
当時の姿を比較的留めている

　フィレンツェのサン・マルコ広場には、ドメニコ会のサン・マルコ旧修道院があり、今は美術館になっている。回廊庭園には中央にレバノン杉が聳え、足下には蔓薔薇「ベネロペ」が幹を包み、目映い緑の芝生が広がる。椅子に腰掛け青空を仰ぐと、都会の喧噪から逃れた静かな生活が偲ばれる。2階にある修道士の部屋は公開され、個人を無にした修道生活の厳しさが伝わってくる。ここで生活した天使の画家フラ・アンジェリコの《受胎告知》や、理想のキリスト教世界を夢見たが、火刑に処されたサヴォナローラ修道院長のマントや椅子など、貴重な品々も公開されている。

◎ http://www.aboutflorence.com/firenze-gaido/firenze-bijyutsukan-kakubutsukan.html

クロイスター美術館（メトロポリタン美術館分館、ニューヨーク、アメリカ合衆国）
The Cloisters

　中世美術を集めたメトロポリタン美術館の分館、その名もクロイスターズ美術館は、フォートトリヨン・パーク内にある小さな中世ヨーロッパで、フランスやスペインの廃墟を集めた貴重な文化遺産だ。

　回廊庭園はキュクサ、トリー、ボンネフォントと3つあり、中世風の小枝の編み垣フェンスで仕切られた花壇に、それぞれのデザインでハーブなどが植えられ、中央には水

クロイスター美術館の回廊庭園と聖フィアクル像

盤や噴水が心地よい音を立てている。サン・ギレム・ル・デゼル回廊庭園には、イスラムの影響が色濃い波状柱や角柱の見事な彫刻のアーチが展示される。またモチーフの元になった、アカンサス等の鉢植えも置いてある。

　ヨーロッパの教会には聖人の彫像や聖画があるが、シャベルを持っていれば間違いなく聖フィアクルだ。美術館には15世紀の大理石の彫刻があり、この聖フィアクルは花を眺めるように優しく俯き、片手に聖書片手にシャベルを持っている。

◎http://tokuhain.arukikata.co.jp/newyork/2006/01/post_170.html
◎http://metmuseum.org/visit/visit-the-cloisters

❖『カンタベリー物語』と『太陽の賛歌』

　12世紀に入ると、修道院は大規模で豊かになっていった。イギリスはカンタベリーのクライストチャーチ修道院では、1165年頃の複雑な給水設備プランが見つかっている。敷地外の水源から引かれたパイプは、4組の花形の水盤らしきものに接続され、うち3基は三角錐の屋根付きだ。一つは回廊庭園の大型の水盤に繋がれ、さらに病院に近い薬草園横の噴泉に向かう。現在も大聖堂横には回廊庭園があるが、往時と違って墓石と芝生だけで殺風景になった。英国の回廊はたいてい芝生だったが、時に松やジュニパーを植えた。英語でLawn（芝生）は、もともと「土地」を意味する。緑は永遠の命の象徴だけではなく、心を和ませ修道士のモチベーションを高める心理的効果も兼ねた。芝生は年に2、3度刈り込む程度で、プリムローズ、デイジーやビオラ、ルリハコベ、ナデシコなどが季節を追って咲き競い、ちょうどフラ・アンジェリコの《受胎告知》の庭のようだった（→3章）。

　イギリスの詩人チョーサー著『カンタベリー物語』は、巡礼に出かけた様々な階層の人々が、旅の途中の慰みに物語をする設定になっている。飛躍的に農業生産が伸び、商業が発達し、社会構造は都市型に変化した。すでに近代の夜明けルネサンスが芽生え、人々には生活の余裕が伺える。病気の平癒や祈願のためだった巡礼は、物見遊山の楽しみに変質していく。巡礼者を引き受ける修道院の宿泊施設も、王や貴族のために贅を凝らす。大規模になった小麦畑や葡萄畑、野菜畑

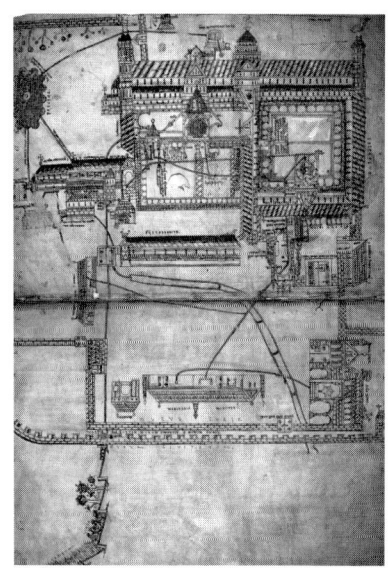

クライストチャーチ修道院
給水設備のプラン　1165年頃

は、修道士だけでは世話しきれず、一般農民を雇い、修道院は大地主と化していく。
　アッシジで生まれた聖フランチェスコは、このような時代背景に登場し、キリスト教会が忘れかけた、愛と清貧の徳を思い起こさせようとした。彼は美しいイタリア、ウンブリアの大地が生み出す自然を称え、神により近く生きるため、大地と切り離されてはならないことを教えようとしている（→7章）。

> わが主よ、御身は讃美されますよう
> 姉妹で、われらの母なる「大地」によって。
> この母はわれらを養い、治め、さまざまの実と、
> 色とりどりの花や草を生み出す。
>
> 『太陽の賛歌』

カドフェル修道士の処方箋：シュルーズベリー・アビー
（シュルーズベリー、シュロップシャー州）
Shrewsbury Abbey

　イギリス中西部シュロップシャーのシュルーズベリーは、ウェールズとイングランドの境にある。白壁と黒い木枠が特徴的なハーフティンバー建築の、静かな中世の街だ。ここは20世紀の推理作家エリス・ピーターズの小説『修道士カドフェル』の舞台として知られ、小説はテレビドラマ化され日本でも放映された。
　ウェールズ出身のカドフェルは、12世紀前半の人物だ。十字軍の騎士として希望に胸膨らませエルサレムに出かけ、20数年後帰還すると、故郷は様変わりしていた。40代で修道士に転身し、ベネディクト派のシュルーズベリー・アビーで暮らし始める。わけありの過去を持ちながら、修道院の医者、薬剤師、外交官でもあるが、次々と難事件を解決する名探偵として活躍するという、何ともイギリスらしい話だ。
　エルサレム滞在中にイスラムの学者から科学、薬学を学んだカドフェルは、フィクションの聖フィアクルとも呼ばれる。中世の医者は、ラベンダーに鎮静効果があることを知り、眠りを誘うサシェを作ったが、その様子が小説にも登場している。

　「大きな袋ね――これは小麦？」彼女が手首の先まで深く、袋の中に手を突っ込んだとたん、小屋は甘い香りでいっぱいになった。
　「ラベンダー？　こんなに沢山収穫出来たなんて、じゃあ、香水でも作るの？」
　「ラベンダーには、他にも効能がありますよ。」そうカドフェルは言った。
　「頭や精神を悩ませる不調には何でもよく効く、香りが和ませるんです。他のハーブも混ぜて小さな枕を作ってあげよう。あなたを眠りに導いてくれるはずです。」

『レア・ベネディクティン/ザ・プライスオブ・ライト』

シュルーズベリー・アビー
中庭と聖堂内のステンドグラス

　イングリッシュローズには「ブラザー・カドフェル」という品種がある。これは淡い穏やかな薔薇色に染まる、日没のような花だ。品種改良家のデイビット・オースティンは、こんな台詞を思い出して命名したのかもしれない。
　この収穫の中から、種蒔く時が始まり、新たな世代が生まれようとしている。……

何を悔やむことがあろう？　晩秋にはその美しさが……その色は日没の色だ。この年との別れ、この日との別れ。人の命との？　ああ、終りが黄金に輝くならば、そんなに悪い幕引きではあるまい。

『カドフェル修道士の告解』

　この小説の主題は「霊的な世界と俗世とが抱える永遠の矛盾」だという。カドフェルが共感を得るのは、そのままこれが現代に当てはまるからだろう。
　シュルーズベリー・アビーの聖堂の南脇入り口には、作者エリス・ピーターズに捧げたステンドグラスがあり、修道生活と園芸の深い繋がりを示すように、ハーブや野菜も描かれている。
　聖堂前の道路を隔てた向かいに中世の庭園が復元されている。庭園史家のシルビア・ランズバーグのデザインだったが、現在はシュロップシャー・ワイルド・トラストのビジターセンターになり、やや変わった。しかし豪華な石の回廊ができる前の、素朴な木製の回廊や荒削りな木製トンネル、シンプルな薬草や野菜の植え込みなどで昔を偲べる。巡礼者が溢れていた900年前の修道院の建物は、現在も使われている。
◎http://www.shropshirewildlifetrust.org.uk/Visitor+centre/Our+garden

聖アンドリュー大聖堂と司教宮殿跡（ウェルズ、サマーセット州）
Wells Cathedral & Bishop's Palace

　サマセットのウェルズという街は、アーサー王伝説のグラストンベリーにほど近く、サクソン人の支配下にあった。井戸という意味の街の名は、1秒間に100ℓもの湧き水が出ることに由来し、古代ローマの遺構も見つかっている。
　大聖堂は1180年に着工され、1239年に完成した。初期ゴシック様式のファサードは、300体の彫像が見下ろす堂々たるものだ。イギリスの最も詩的な聖堂と呼ばれ、広々とした芝生から正面を眺めると、華麗な騎士達の物語が今にも始まりそうだ。ハリウッド映画の監督リドリー・スコットが製作した、NHK-BS放映のドラマ『ダークエージ・ロマン　大聖堂』では、聖堂のモデルにもなっている。
　筆者が訪ねた折り、聖堂内部に一歩足を踏み入れたとたん、パイプオルガンが響き渡った。教会の天井は、讃美が天に届くように設計されているから、まるで聖域に近づいたようで凛とした心地がした。特に印象的だったのは、中央のシザーズ（はさみ）と呼ぶ眼鏡のようなアーチだ。完成間もなく始まった崩落を防ぐため作ったのだが、近代的な造形に見えるほど洗練されている。内部もまた美しいイギリス屈指の聖堂だ。南面にある巨大なクロイスターは、16世紀に作られた。回廊庭園には古い墓石が点在し、樹齢数百年という太いイチイの木が豊かに枝を広げている。
　南側に離れてある司教宮殿には、豊富な水量を利用した水堀があり、マイナスイオンが溢れ空気は煌めくように美味しい。大きな石作りの城門を抜け敷地内に入ると、

聖アンドリュー大聖堂　大ホール跡

白いデイジーが一面に咲く宮殿の廃墟が現れた。長さ35m 幅18m あった大ホールの外壁だけが残され、窓枠が青空をバックに大聖堂の塔を切り取っている。白鳥が身を任せる透明な流れに、瑠璃色のカワセミも幻想のように飛んだ。中世の人々の神を崇める情熱が、優しい自然の中に足跡のように残っている。

◎ http://www.wellscathedral.org.uk/visit/getting-to-wells/
◎ http://www.sacred-destinations.com/england/wells-cathedral

大聖堂の内部

司教宮殿の水堀（左）と外壁（右）

第3章
オールドローズ咲く中世世俗の庭

ジャルディーノ・ディ・ボボリ（イタリア）
アルハンブラ宮殿（スペイン）
リーズ城、エレノア王妃の庭、ウィンザー城
セント・マイケルズ・マウント、ペンゲーシック・カースル・ガーデン

> タイムの風薫る（草の）腰掛けを知っている、
> オックスリップや傾いだスミレが咲いていて、
> 甘いスイカズラの覆いつくした天蓋の、
> 香り高いマスクローズとエグランタインが絡んだ。
> そこにティタニアは時として夜を過ごす、
> 楽しく揺れるそれらの花に、寝かしつけられて、
>
> シェイクスピア著『真夏の夜の夢』

❖ ハーバーとアーバー：密やかな楽しみの庭

　中世庭園史家シルビア・ランズバーグは、シェイクスピア著『真夏の夜の夢』第2幕1場のオベロンの台詞は、従来言われるように森の光景ではなく、城内の四阿(あずまや)だと解釈する。エグランタインは、スイートブライアーとも呼ばれる小さな薄桃色の野薔薇で、葉には甘い林檎の香りがある。マスクローズは香料ムスクの香り、スイカズラは夜にはさらに香りを増す。これらが空中で調合されると、さぞや芳しい四阿になったはずだ。

　城内のこんな場所はハーバー（herbour）と呼ばれ、庭の中に出来た密やかな隠れ場だった。もちろんハーブ（herb）から派生した言葉で、ハーブがガーデンプランツのメインだったことを表す。また、薔薇や蔓植物を這わせた木の枝のトンネルを、アーバー（arbour）と呼んだ。これは晴天には日よけの涼しい歩道になり、また急な雨には雨宿りをしたり、時には椅子を置いて四阿にもなった。

ローザ・エグランタイン（スイートブライアー）

オールドローズのトンネルアーバー

左上：シェイクスピアの花々
（アン・オフェリア・ダウデン画）
中央：「ローザ・ムンディ」

ローザ・アルバ・マキシマ

　実際のハーバーがどんなものか、ボッカチオの物語を題材にした写本の挿絵（図1）で見てみよう。絵の中で女性が座っている場所がそれだ。草のシートの後ろには薔薇の枝が絡んだトレリス垣が、後方には木のアーバーがあり、フェンスには葡萄の蔓が伝う。手前には、香り高いナデシコ（ピンクと呼ぶ）やマジョラム、ラベンダー、ローズマリー、オダマキ、ニオイアラセイトウ、タチアオイが咲き競う。姫君は裁縫に夢中で青年達に気づかないが、目隠しフェンスのお陰で彼等からも彼女は見えなかったはず。

❖ガーデン：囲われた場所
　争いと疫病の絶えない中世の過酷な現実を生きるため、人々は天国に望みを託した。せめて生きた証しにと、長い年月をかけ壮大な大聖堂を喜んで建築したが、それに比べ初期の世俗の庭はとても質素だった。争乱に明け暮れる不安定な社会では、城の最大の関心事は防御だ。石作りの城は窓もなく暗く湿気があり、お世辞にも居心地よいとは言えなかった。13世紀に煙突が登場するまでは、大ホールの中央で

図1 《庭で花冠を編むエミリア》1460年頃　ウィーン国立図書館蔵

薪を焚いたから、煙はいつも室内に充満した。敵から守るために家畜や犬も一緒、洗濯も一般的ではなく、ノーズゲイという香草の花束を鼻に当てたり、虫除けハーブを床に撒いて、何とか悪臭や害虫を凌いだ。さらに主人も召使いも共同生活だったから、プライバシーは皆無に等しかった。

　そんな時代の庭は、城壁に囲まれた小さな空き地に作られた。ガーデンの語源ガース garth（複数形の garthen から garden になった）は、古英語で「囲まれた場所」を意味する。それは煩いの生活から逃れ、静寂を得る避難所、青い天蓋の部屋だった。ガーデンには野菜や果物、ハーブを育てる有用園の他に、先述のハーバーがあった。信仰深い人々は、庭に咲く赤薔薇は殉教の血潮、白いマドンナリリーには受胎告知を象徴させ、俯きかげんに咲く菫にはマリアの謙遜をあてた。泉はキリストと聖なる教会（自分達）を結びつけるシンボル。溢れる水には、生命、清さ、知恵、純潔、エデンの園、聖霊の実などの意味を持たせた。中世ヨーロッパ初期のガーデンは、城に付属した囲まれた心の拠り所だった。

❖フラワリーミード：山野草と香りに満ちた芝生
　次に15世紀初めの《小楽園》（図2）という、ライン画派の絵を見てみよう。城

図2　上ライン地方の画家《小楽園》1410年頃　フランクフルト、シュテーデル美術館蔵

の庭に憩う聖母子の図は、平安な理想化された楽園だ。城壁に囲まれた花咲く園で聖書を読むのは、あどけなさの残る聖母マリア。サクランボを摘む者の横で、幼子イエス・キリストは侍女と弦楽器を弾いている。庭一面にスズラン、野いちご、カウスリップ、デイジー、ボリジ等が咲くが、これをフラワリーミード（ミードは草地を表すmeadowの雅語）と呼んだ。実は、これにもペルシャ庭園の影響がある。現代のイランであるペルシャは山野草の宝庫だが、古来野原から種を持ち帰り庭に蒔く習慣があった。美しい花々を散らしたペルシャ絨毯は、夏の庭の美しさをそのまま室内に持ち込み、花のない冬の楽しみへと発達している。

　さて、絵の正面奥には、板囲いの一段高い花壇が見える。これは草（ターフ）のシートで、ローマンカモミールやタイムで出来ていたから、腰かけた瞬間甘い香りに包まれた。古代ローマでは、鬱病患者をタイムの草むらに寝かして治療したというが、中世のストレス社会でも抜群のリラックス効果を発揮したことだろう。バッキンガム宮殿のエリザベス2世女王の庭には、今でも香りのカモミールローンがある。

　聖母の後方には、タチアオイ、アヤメ、センノウ、ウォールフラワー等が、また手前にはシロユリや赤い芍薬が咲いている。テーブルの上には、皮を剥いた林檎やコップがあり、従者は天使と話している。北欧では夏の日差しは貴重だ。敵だらけ

の城外に代わりフラワリーミードは、山野を居ながらにして満喫できる場所だった。

「まるで緑の絨毯」と形容される英国の芝生は、イングリッシュガーデンとは切り離せない。しかし、王室付きのウェストミンスター大聖堂の庭園でさえ、15世紀になっても年に3回しか芝刈りをしないフラワリーミードだった。

▎**ジャルディーノ・ディ・ボボリ**
（フィレンツェ、イタリア）
Giardino di Boboli

至るところにフラワリーミードがある。野生の蘭やアヤメ、アネモネやひなげし等、1年中トスカーナの山野草が次々に咲く。フィレンツェ生まれのフラ・アンジェリコやボッティチェッリの描いた《受胎告知》や《春》の草地は、フラワリーミードだった。ボボリでは今も、画家達が描いた花を見ることができる（→1章）。

フラ・アンジェリコ《受胎告知》の部分
（1430-32年頃　プラド美術館蔵）

❖ソロモンの雅歌：パラダイスの再生

> 私の妹、花嫁は、閉じられた庭、閉じられた源、封じられた泉。
> あなたの産み出すものは、最上の実をみのらすざくろの園、……
> 香料の最上のものすべて、庭の泉、湧き水の井戸、レバノンからの流れ。
> 『旧約聖書』「ソロモンの雅歌」

ヨーロッパ全体の生産性が向上し貿易が盛んになると、閉ざされ点在していた小さな共同体はネットワーク化した。消費社会が誕生すると、楽しみの庭作りが次第に盛んになったが、この流行を助長したのが中東への十字軍遠征だった。

2章でも述べたように、イスラム庭園の原型はペルシャ庭園にある。ソクラテスの弟子クセノフォンの紀元前の記録によれば、キュロス2世王は、農業こそが最も名誉に値する職業だと、手ずから測量を行ない植樹したという。自慢の園には噴水が音をたて、豊かな水路が果樹や草木を潤した。百花繚乱の実り豊かなこの場所

インドのイスラム王朝ムガル帝国の庭園。囲壁、四分割する水路、水槽といったペルシャの伝統に基づく典型的なイスラム庭園の要素が見られる。
『バーブル回顧録』の細密画　1590年　ロンドン、ヴィクトリア＆アルバート美術館蔵

図3　《薔薇の園に迎えられる詩人》1490-1500年頃　大英図書館蔵

を、王は「祝福された住まい paradeisoi」(英語のパラダイス paradise の語源)と呼んだ。

ところでキリスト教徒の理想の庭は、『旧約聖書』の「ソロモンの雅歌」で詠われた閉じられた庭だった。聖書にある植物が育つ囲われたイスラム庭園を見た時、十字軍の兵士達は失われたエデンの園を発見したと思った。聖地での過酷な闘いの合間、荒涼とした砂漠の中に、突如蜃気楼のように現れた門を潜ると、見たこともない華麗な園があったと想像してみよう。優しい南風が馨しい花の香りを運ぶ。小鳥のさえずりが聞こえ噴水が煌めき、薔薇やユリ、ハーブが香り、林檎、桃、梨、アーモンド、ザクロの実る園は、まるでソロモンの庭そのものだった。

騎士達が最も感銘を受けたのは、発達した灌漑技術の水路や噴水だった。清らかな水に疲れた足を浸すと、殺伐たる心は生き返る。並木道には美しく歌う鳥籠が掛けられ、華麗な細工の鳥小屋には見た事もない孔雀などの珍鳥がいた。水音、小鳥のさえずり、花と果物の芳香は、エデンの園の大切な要素だと彼等は悟る。

ハーバーで楽し気に憩う人々を描いた『薔薇物語』の写本の挿絵 (図3) を見てみよう。精巧なフェンスで隔てられたハーバーは、楽しみの場所として、実用目的の隣の薬草園とは分離されている。中央には噴水が、また欧州には存在しないはずの孔雀まで見える。先ほどの図2とこの絵を比べてみると、図2の庭にはシンプルな水槽しかないが、図3の庭には、中央に華美な装飾の噴水があり、庭は複雑なトレリスで仕切られている。このようにヨーロッパの庭園は、イスラム庭園の魅力的な要素を取り入れ、より建築的で華麗になっていった。

アルハンブラ宮殿 (グラナダ、スペイン)
La Alhambra

アルハンブラは夕日に映える赤い城塞を、グラナダはザクロを意味する。8～15世紀まで支配したムーア人 (北アフリカ系イスラム教徒) が治めたナスル朝の宮殿で、かつて2000人以上が暮らした。レコンキスタ (国土回復運動) に抗し、イベリア半島に最後まで留まったこの王朝は、多大な文化的影響をスペインに与えた。

栄華を今に伝えるライオンの中庭は、精巧な化粧漆喰で装飾された回廊庭園だ。ライオンの彫刻が足台になった噴水には、水が四方から流れ循環し、イス

アルハンブラ宮殿ライオンの中庭

ラム庭園の特徴をよく表す。また、アラヤネスの中庭は、長方形のカナルが優位を占め青空と建物を写し、芳しいマートル（ギンバイカ）の生垣が瑞々しさを添える。かつて200人もの女性がいたというハレム、パルタル宮には、婦人達が水浴した巨大なプール、糸杉やオレンジ、薔薇やオリーブ等が豊かに繁茂している。
◎ http://spain.navi-club.jp/spain_alhambra.php

❖フランス・スペイン仕込みのロイヤルガーデン
　時代は少し戻るが、イギリス対岸のフランスには、バイキングが作ったノルマンディー公国があった。1066年、ノルマンディー公ウィリアム1世はイングランドを征服し、英国を統一する。狩りが大好きなノルマン人の王達は、広大な領地を荘園にし、巨大なパークを造園した。パークとは古代メソポタミアの王達が挙って作った珍獣を飼う伝説の林園で、ぐるりと巨大な塀を廻らせていた。
　3代目のヘンリー1世は、フランスの国際都市モンペリエのムーア人に、ライオン、ヒョウ、山猫、ラクダ、ヤマアラシ等の珍しい動物を運ばせ、オックスフォード郊外のウッズストック荘園に、動物園を作ったと言う。
　13世紀初めのエドワード1世の頃でさえ、英国宮廷の公用語はフランス語で、支配階級とイギリス人には大きな隔たりがあった。エドワードがスペイン、カスティーユ王国の姫君エレノアと結婚すると、廃れて久しかった入浴の習慣が復活する。二人は十字軍の遠征に同行するほどのおしどり夫婦で、何と16人の子宝に恵まれた。エドワード1世は、遠征時に立ち寄った庭園先進国フランスや南イタリアに感化され、1277年には、ロンドンのタワーヒルに9000枚の芝土（移植用の四角

いけすの魚を捕る人々　14世紀中頃
アヴィニョン、教皇宮ガルド・ロープ塔の壁画

に切った芝）を敷き、数限りない梨、桃、薔薇、ユリ、そして葡萄を植えた。ウェストミンスターに新設した庭には、女王の窓辺にプールも設えた。寒い英国で役立ったかどうか疑わしいが、スペイン出身の彼女はきっと喜んだだろう。

　女王も園芸に情熱を傾けた。南仏アキテーヌから林檎を大量に輸入し、ムーア人の園丁に広大な果樹園や葡萄園を作らせた。16世紀に茶やコーヒーが伝わるまでは、飲料はアルコールだけだったから、醸造のためにも果樹園は必須だった。

　果物を食べにくる野生動物や放し飼いの家畜、あるいは盗人を撃退するために、果樹園は板垣や編み垣で囲まれ水郷で隔離された。城外の果樹園への移動には、跳ね橋を使った（→4章：ヘルミンガム・ホール・ガーデンズ）。

　沢山の家来や家人を養うため、川や湖を利用し、巨大な養魚場や貯水池が作られ、豊かな水辺は水鳥や家禽の憩う場所になった。川の流れを水濠に引き込むには、水車を動力源にした。屋敷のそばに捕った魚を一時入れておく、フィッシュポンド（いけす）が作られた。水辺が増えるに連れ、英国は風光明媚な場所に変わった。例えば、エドワード1世が愛妻エレノアのために作ったケント州のリーズ城は、最も美しい中世の城と呼ばれている。

リーズ城（メイデンヘッズ、ケント州）
Leeds Castle

　リーズ城はイギリス王家の所領。エドワード1世は、glorietto（中世のサマーハウス。オーストリアのシェーンブルン城には女帝マリア・テレジアのものがある）を湖に浮かぶ島に作った。エリザベス1世女王は、ここに短期間幽閉されていた。

　現在の城は19世紀風チューダー様式だが、水に映る古城の風情は中世さながらだ。200haのパークには、巨大な鳥舎やラビリンス（→44頁）もある。

◎ http://www.gardenvisit.com/garden/leeds_castle_and_culpeper_gardens
◎ http://homepage2.nifty.com/hiro_otaki/sub4_museo04.htm

湖に浮かぶリーズ城

エレノア王妃の庭 (ウィンチェスター、ハンプシャー州)
Queen Eleanor's Garden

　ロンドン南西にあるウィンチェスター城は、ノルマン人征服の翌年に建てられた。現在はグレートホールだけが残っているが、南面に13世紀当時の庭が復元され、ヘンリー3世の妃プロバンスのエレノアと、エドワード1世の妃カスティーユのエレノアという、二人のエレノアに捧げられている。庭園先進国から輿入れし、英国庭園に影響を与えた、二人の王妃の面影を辿るのもいいだろう。

　デザイナーのシルビア・ランズバーグは、ロイヤルガーデンの記録を参考にした。三角形の庭の入り口には、裸木を組んだ葡萄のトンネル・アーバーがある。中央近くの素朴な噴水の先には、左手奥グレートホールの壁面に向かい、格子垣にアルバローズとランカスターローズを絡めた「クイーンズ・ハーバー」がある。日溜まりの中に憩った淑女の時間を、草のベンチとテーブルで味わってみたい。

　貧富を問わず、当時のガーデニングは女性の仕事だった。薬用、料理用、家政用と植物の利用法を記した家政書のようなものも残されている。まだまだ花の美しさよりも有用性の方が遥かに重要で、美徳でさえあった。

復元された庭に作られた「クイーンズ・ハーバー」

◎ http://www.cityofwinchester.co.uk/Parks/Eleanor/eleanor.html

❖ロザモンドの四阿：絶世の美女の住まい

　イギリス王ヘンリー2世は、愛人のロザモンド・クリフォードのために、ウッドストックに「ロザモンドの四阿(bower)」を作ったと言われる。バウアーとは木陰の休憩所か田舎家を意味するから、木製アーチの天蓋、コッテージ、あるいはラビリンスだったという説もある。ラビリンスとは、もともとギリシャ神話に登場する怪物を閉じ込めた迷路だったが、ローマ時代になると庭の装飾として発達した。中世には大聖堂の床に描かれ、罪はラビリンスのように複雑で、人生は危険に満ちていると教えられた。祭りには、懺悔者が跪いて膝でこれを辿ったものだ。後には、牧場や広場で芝や牧草を刈り込んで作るようになった。

　よく似たメイズは、常緑樹で作られた。初期は膝丈ほどで低かったが、17世紀頃から人の背丈よりも高く仕立てるようになる。ラビリンスの形は丸、メイズは四

角と決まっていたが、最近はクロスオーバーして複雑な緑のアートに進化している。

ロザモンドに因んだオールドローズもある。白く不規則なストライプが入った、濃紅色のローザ・ガリカで、その名も「ローザ・ムンディ」(→36頁写真)。中世の薔薇の中では際立って美しい。絶世の美女は20代後半で亡くなったが、晩年には尼僧院で隠棲したと言う。中世を通して、「ロザモンドの四阿」は伝説的な物語になり、場違いに思える修道院でさえこれを作る者が続出した。

❖囚われの王子が見たウィンザー城庭園

スコットランドのジェイムズ皇太子は、1403年から18年間もイングランドに囚われていた。彼は英国流の教育を受けた教養人としても名高い。ウィンザー城の幽閉された部屋から見た庭を、『The King's Quhair 王の覚書』という詩に詠んでいる。これは当時の庭園の貴重な記録であり、庭園美が初めて詩歌の対称になった記念すべき文学でもある。彼によると、ウィンザー城のタワーに沿った美しい庭は、柳の冊で囲われ、セイヨウサンザシの刈り込まれた綺麗な生垣があり、四隅は緑濃い木々に覆われていた。全ての街路には枝葉が深く茂り、ジュニパーは甘く香った。ナイチンゲールが賛美歌のように美しく歌うと、夜行性のガラゴ(アフリカ産のロリスの仲間)猿が共鳴した。

セイヨウサンザシは、キリストを埋葬したアリマタヤのヨセフが、茨の冠から取った苗を、英国にもたらしたという伝説の木だ。春は真っ白い花が、雪と見紛うほどに垣根を覆う。真っ赤な実は、果実酒、ジェリーやソースに使われる。小さな刺は家畜の逃亡や盗人の侵入を防ぐから、今でも農場の生垣に重宝される。

王子の心を奪った花は他にもあった。実はこの詩は、庭園に憩う後の妃ジョアン・ボーモントに一目惚れして作られたもので、幽閉を解かれスコットランドでジェイムズ1世として王座に就くと、生涯妾をとらず二人は仲睦まじく暮らした。つまり囲われた園は、恋の駆け引きの大切な場所でもあった。

たわわに実った
セイヨウサンザシ

■ウィンザー城(ウィンザー、バークシャー州)
Windsor Castle

イギリス王家所有のウィンザー城は、高台に作られた山城として発達した。ウィリアム1世が作った、グレートパークの狩猟小屋に始まり、今でも20km²のディアパー

ウィンザー城
タワー周辺の堀を
活かした庭園

クには、鹿が放し飼いになっている。

　ウィンザー城の丸いタワー周辺にある、掘り割りを見落とさないで欲しい。スロープを生かした植え込みには、薔薇の茂みやベンチの上のアーバー、石畳の通路などが丁寧に手入れされている。また、城のテラスから見るパークの雄大さは、ウィンザー王家の繁栄を垣間見せると同時に、理想的な城塞であることを思い知らされる。

◎http://www.royalcollection.org.uk/visit/windsorcastle/plan-your-visit?language=ja

❖薔薇戦争のオールドローズ

　ランカスター家の赤とヨーク家の白、敵同士の紋章が薔薇だったため、中世イギリス最後の内乱は、薔薇戦争（1455-85）という優雅な名がつけられた。

　ランカスターの赤薔薇ガリカローズ（→24頁写真）は、緩やかな半八重で、花弁は付け根のあたりがやや薄い。開花すると黄色い雄しべが印象的だ。しっかりした木立性で、濃い深紅色の花がたわわに咲く。これは十字軍が聖地から持ち帰った薔薇で、13世紀以来、パリ郊外のプロバンでは砂糖漬けにされ、特産の薬として600年間も取引された。消化や強壮効果、吹き出物に、また女性の皺を無くすと信じられた。薔薇の香りには女性ホルモンを刺激し、女らしく綺麗にする効果もある。

　一方、ヨークの白薔薇は、

紅白の薔薇を摘んで口論するランカスター家とヨーク家の人々
ヘンリー・A・ペイン画　1908年　バーミンガム市立美術館蔵

アルバ・マキシマ（*Rosa alba maxima*）（→36頁写真）と言われる。すらりとした木立性で形よい灰緑色の葉がつき、黄金の雄しべがちらりと見える。緩やかな乳白色の花弁からは、清々しい香りが立ち上り、高貴な品性が漂う。

　もっとも芳しいのは、ブルガリアの薔薇の谷で育ち、薔薇香水の主原料になるダマスクローズ（*Rosa damaschena*）の一種「カザンラク」だ。この変種に「ヨーク・アンド・ランカスター」という霜降りの薔薇がある。白地にピンクの斑が現われるかと思えば、ピンクの生地に一筋の白が入ったり、気紛れな変わり咲きをする。

エリザベス1世の肖像画（通称「ペリカン・ポートレート」）のチューダーローズ

　両家の和解で成立した紋章は、チューダーローズと呼ばれ、勝者の赤い五弁花の内側に、小振りの白い五弁花を包み込む。エリザベス1世女王の肖像画では、この薔薇が誇らし気に王冠を戴いている。

　花期が短く、あっという間に散るオールドローズの性質に準え、乙女の美しさが永遠でないことを詠った詩がある。

まだ間に合ううちに、
薔薇の蕾を摘むがいい―
昔から時間は矢のように飛んで行くものなのだから
ここに咲いているこの花も
今は微笑んでいるが
明日には死に果てて行くにきまっている

ロバート・ヘリック『時を惜しめとて女たちに告ぐ』（平井正穂訳）

　中世人はもう一つの意味も薔薇に与えた。世俗愛に対する神の永遠の愛だ。生涯独身を貫いたエリザベス1世は、薔薇をどう捉えていたのだろう。

主イエスは、お前のよき友でまし、
……わが魂よ、主の御国をめざすことだ、
そこでは、もし行けたら、―「平和」の花が、
萎れることのない「薔薇」が、
お前を守る砦が、
憩いの場が、お前を待っているのだ。

ヘンリー・ボーン『平和』（同上）

セント・マイケルズ・マウント島
右：城へ続く坂に作られたサブトロピカル・ガーデン

セント・マイケルズ・マウント（マラザイオン、コーンウォール州）
St Michael's Mount

　セント・マイケルズ・マウント島は、コーンウォールの最も印象的な風景の一つだ。サクソン系のエドワード懺悔王が、1047年島にチャペルを建て、フランスのモン・サン・ミッシェルと同じベネディクト修道会に献上したのが始まり。潮の干満によって、海に道が現れたり消えたりするところまで似ていて、美しくも厳しい自然の要害になっている。島の城塞からは、1588年スペイン無敵艦隊の到来がいち早く目撃された。1657年からは、セント・オービンス男爵家の居城になり、今でも子孫が暮らす。1954年にナショナルトラストに寄贈されたが、一家は999年間のテナント権を持つ。島には城主一家と雇用人が小さな共同体を昔ながらに営み、城を運営している。

　城に続く坂には、花崗岩の壁で仕切られた素晴らしいサブトロピカル・ガーデンがある。段々畑のような石垣の庭園に、世界中からやってきた半耐寒性の植物が繁茂する。イギリス最南端のこの地域は、メキシコ湾流の影響で、樺太に近い緯度にも拘らず、海洋性気候の恩恵を受け植物の楽園になっている。開園は春と夏。城は11月まで。
◎ http://www.stmichaelsmount.co.uk//plan-your-visit

ペンゲーシック・カースル・ガーデン（プラアサンズ、コーンウォール州）
Pengersick Castle Garden

　2002年に、ペンゲーシック城の持ち主アンジェラ・エバンスから「中世庭園の復元をしているから、是非見にいらっしゃい」と便りをもらった。小さな石作りの門を潜ると、70歳を過ぎても矍鑠たるアンジェラが出迎えてくれた。15世紀のチューダー朝期の要塞城は、歴史的建造物保護リストのグレード1に登録されている。

　城の屋上から目を城外に転じると、現代的なリゾート地が海岸まで広がる。「あの眺めは好きじゃないの。夫と35年前初めてこの城に来た時、守るべきだと確信

したのよ。」個人の力は微力だが、アンジェラは怯まなかった。幸い晩年には、ペンゲーシック歴史教育トラストというNPOが設立された。

　城の敷地内には大きなレバノン杉が堂々と立ち、後ろには鬱蒼とした森が中世の面影を宿す。庭には中央に一段高くなったテラス庭園があり、一対の小さなライオン像が番をしている。奥の石のアーチを潜ると中世庭園が現れる。古い石壁にゴシック風のおかしな顔の彫刻が埋め込まれ、口元から水が池へと落ちていた。

　1246年には、ペンゲーシックで薬草園を作る認可が下り、それに因んだ小さなハーブガーデンが階段の先にある。ザンクト・ガレンの デザイン（→2章）を採用し、アングロ・サクソン人のエルフリック司教による、995年のハーブリストを参考に、200種ほどのハーブが料理用、薬用そして家政用に分けて植えてある。さらに奥まった所には、ターフ（芝生）のベンチがあり、薔薇やマドンナリリー、そしてアイリスを植えたハーバーがあった。

　残念ながら、2008年にアンジェラは亡くなったが、2013年6月を目処に改修工事を進め、リニューアルオープンを予定している。

◎http://www.pengersickcastle.com/index.php

左：残存するペンゲーシック城の住居部分
右上：敷地内のテラス庭園
右下：復元された中世の庭園

第4章
女王のお気に召すままに
チューダー朝の庭

ハンプトンコート宮園
ハットフィールドハウス・ガーデンズ
ヘルミンガムホール・ガーデンズ
ストラットフォード・アポン・エイヴォン
アイザック・ウォルトンズ・コッテージ

❖オフィーリアに捧げる花

　イギリスの劇作家、シェイクスピアの描いた『ハムレット』は、ヒロイン、オフィーリアの可憐さと健気さが心を打つ。もう一つの悲恋物語『ロミオとジュリエット』のジュリエットが、自分の運命を自ら選択していく、近代的な女性像なのに対し、オフィーリアは父に従順な中世的乙女として描かれる。デンマーク人の彼女は、金髪、碧眼、白い肌の美少女だった。ハムレットは政争から愛する乙女を守ろうと、尼僧院へ行けと言うが真意は伝わらず、彼女は自ら命を絶つ。

　シェイクスピア研究の第一人者、小田島雄志氏は、筆者と対談した折りに、オフィーリアを形容する言葉として、「花の表現の中で最も好きなのが、"美しい汚れを知らぬ妹の体から、スミレの花よ、咲き出よ"という、兄レアチーズの台詞です。……だが別の箇所には、彼女を5月の薔薇と呼ぶ場面もあってね、一貫性がなくて困ったものです」と語られた。

　このスミレは西洋種のニオイスミレで、古くから香水に使われるほど芳しく、花は深く濃い紫色をしている。一方、5月の薔薇とは、春一番に咲く野生のローザ・アルウェンシス（*Rosa arvensis*）で、白色の可憐な五弁花である。紫色の菫と白い野薔薇には共通点が一見なさそうだが、シェイクスピアはどんなオフィーリア像を描こうとしたのだろうか。

　控えめな甘い香りのスミレの花言葉は忠実。古代より詩人に愛され、春一番に咲く菫は、若さと死に結びつけられた。『冬物語』のこの箇所を読んでみよう。

（以下、シェイクスピアの引用はすべて小田島訳）

　パーディタ「…色はほのかでありながら、ジュノーの眸よりも愛らしく、ヴィーナスの息よりもかぐわしい香りを放つスミレ。処女のまま、日の神フィーバスの燦

然と輝くお姿も拝さずに死んでいく―娘たちにはよくありがちな病気ね。」

　一方、5月の白薔薇の花言葉は純潔と美徳だが、この薔薇もあっという間に散ってしまう。つまり、慎み深い二種の山野草の共通点は、咲いた夕べには散る儚さだ。シェイクスピアはこれに注目し、オフィーリアに重ねたのではないだろうか。

❖フローリスト・フラワーズ：新種好きのイギリス人
　ヘンリー8世の離婚問題で起った、ローマ・カトリック教会との決別は、フランスやフランドル地方で迫害された新教徒のイギリス移民を助長した。彼らは都市で働く新興産業の従事者が多かったが、中には絹や毛織物の職人もいた。これは当時の最先端技術で、今の自動車産業に匹敵したから、ヨーロッパの片田舎に過ぎなかったイギリスは、一躍新興産業国として躍り出る。
　移民の中には、珍しい植物を好んで育てるフローリストもいた。フローリストが花屋を意味するのは20世紀以降で、有用植物が主流だった当時は、趣味で観賞植物を育てる者をこう呼んだ。愛好家達は贔屓の花を愛でるソサエティーを作り、色や形に厳格な基準を設け完璧性を競った。好まれたのはトルコからのチューリップ、ヒヤシンス、イタリアからのカーネーション、ポリアンサス、オーリキュラ等耐寒性のある小さな植物で、八重咲きや斑入り種が珍重された。鉢植えを宝石のように扱い、丹誠込めた植物を品評し交換するのが、フローリストのこの上ない喜びで、それらを描いた静物画は、フランドル派絵画の一ジャンルにまでなった。
　ところで、シェイクスピアが『冬物語』を書いたのは、故郷のストラットフォードに落ち着いた16世紀末頃と言うが、当時の園芸事情が垣間見られる。

パーディタ「この季節のいちばん美しい花は、不実の花カーネーションと、自然の私生児とも呼ばれる縞石竹でしょうが、あのような花は私どもの庭には咲いていませんし、私も一茎だってほしいとは思ったことがありません。」
ポリクシニーズ「娘さん、どういうわけであの花をさげすむのだな？」
パーディタ「あの赤と白とのまだら模様は、偉大なる造化の自然に人工の手が加わってできたものと聞いておりますので。」

縞模様のカーネーション
『カーチス・ボタニカルマガジン』
(1788年)より

第4章 女王のお気に召すままに…チューダー朝の庭

『本草書（ハーバル）』（1597年版）の扉に描かれたジェラードの肖像

　明らかにシェイクスピアは新種を知っていたが、歓迎はしていない。人工的な園芸品種は、庭に一本たりとも植えたくないとまで言っている。彼の美学は、有用性のある可憐な山野草だった。だが珍花を高値で取引し、派手な新種を求める巷の気運はさらに高まっていった。

　「如何に日々我らの花の割合が色彩豊かに増し加わり、拡大して行くのは助けになるだろうか…いくつかの庭で私が目にしたのは、少なくとも300〜400種の花々で、それらの半分くらいは、ほんの40年ほど前には誰も知らなかったものである」と、16世紀後半のある人は書いている。

　もともとブリテン島は在来種が乏しい。亡命者には王家や貴族の庭師になる者も出て、未知の花の伝播に拍車がかかると、新種好きの国民性が芽吹き始めた。新たな植物の流入で、植物事典の需要は急激に増える。中でも本草学者ジェラードの本は爆発的に売れた。扉に描かせた自分の肖像画は、手にジャガイモの花を誇らしげに持っている。というのも、アメリカ新大陸から紹介されたジャガイモもトマトも、イギリスではしばらく観賞植物として非常に珍重されたからだった。

❖女王のお気に召すまま：庭園は邸宅の鏡

　チューダー朝の中央集権化は英国に平和をもたらし、建築ラッシュが起る。敵に

左右対称にデザインされたヴィッラ・ペトライアの前庭
ジュスト・ウテンス画 16世紀末-17世紀初頃 フィレンツェ、郷土史博物館

対峙して築いた高い要塞や厚い壁に代わり、両手を広げ招くような外観の均整のとれたグレートハウス（大邸館）が、イングランド中に出来た。この頃には建材に煉瓦を使うようになり、より自由にデザイン出来るようになった。また、最新の素材、透明ガラスが手に入ると、大きな窓が目立ち始める。煉瓦とガラスの新建築は、ガラスの館と皮肉られるほど隆盛を極めた。重要なのは、賓客をもてなすために、以前よりずっと庭の価値が増したことだった。

　1558年、エリザベス1世が王位につくと、大臣ウィリアム・セシル（後のバーリー卿）は、「神は我ら二人に彼女を楽しませたいという憧れを送られた。そこで我々は財力を凌駕する建物を計画した」と自慢している。それに応え、女王は臣下の領

トピアリーの刈り込み	チェス風トピアリーと天球儀
四角く刈り込んだ四阿とトピアリー	馬のオブジェ
鷲と乙女の彫像	ハーブなどを使ったノットガーデン	日時計

第4章 女王のお気に召すままに：チューダー朝の庭

53

地を足しげく訪問した。セシル卿は惜しげもなく 1 回の宴会に 3000 ポンドも費やしたという。17 世紀初めの裕福なジェントルマンの年収が 1000 ポンドだから、これはとてつもない投資だった。

さて、中世の庭を意味する言葉をおさらいしてみよう。修道院のクロイスターや世俗のガーデンには、「囲われた」という意味があった。しかし、チューダー朝の庭は大きく様変わりする。グレートハウスは左右対称のファサード（正面）を軸に長方形に建てられ、もはや中庭を持たなかった。フロントヤード（前庭）とバックヤード（裏庭）に分けられた庭が、逆に家をサンドイッチしたようになる。

イタリア・ルネサンスの露壇式庭園〔丘陵地に階段状に作ったため、こう呼ぶ〕（→ 52 頁図）に影響され、庭はファサードに対して鏡のように、つまり玄関に向かってシンメトリーに作られるようになる。中央の通路を軸線にして、左右に小さな四角形の花壇が規則正しく配置され、それをぐるりと囲んだ壁や、生垣、あるいは植物で覆われたトンネルのアーバー〔ギャラリーとも呼ぶ〕があった。中央や四隅には四阿があり、観賞用の水鳥や魚を放つ水路や池、日時計、アーン（壺）や天球儀、彫刻、凝った噴水もあり、遊びと芸術の要素は一気に増え、庭園は華美で複雑になる。

エリザベス朝はあらゆる点でスペクタクルを追い求めた時代だった。だが全体のバランスを考えるという近代的な概念はまだ乏しく、建築も庭園もすべてが装飾過多に陥った。豪華さの寄せ集めだったが、それがまたこの時代の魅力でもある。

❖ゴシックなチューダー朝庭園の特徴：ノットガーデンとマウント

開かれた邸宅の窓から眺めると、花が消えた冬の庭はとても殺風景だった。そこでイタリア庭園を真似て常緑樹を植えるようになる。串刺しの円盤、あるいは奇妙

マウントからの眺め。中央にはヨウラクユリが植えてある。
クリスペイン・デ・パス『花の園』（1615 年）より

イギリスで出版された
ノットガーデンのデザイン画

な猛獣のトピアリーに囲まれたノット（結び目）ガーデンほど、チューダー朝を象徴するものはない。ノットとはペルシャやトルコ産絨毯の織り方の呼称で、その幾何学模様を真似、ツゲ、サントリナ、ラベンダー、ジャーマンダー、ヒソップなどの常緑低木を使い、花壇を作ったことに由来する。

　フランドル地方やフランスでは、ノットのパターン図が出版されるほど人気だったが、エリザベス1世の父、ヘンリー8世を訪れた外国の賓客は、彼のノットガーデンの複雑さに感嘆している。花壇の内側には、新来の観賞用植物、アネモネ、チューリップやヒヤシンス、カーネーション、ヨウラクユリなどを植えた。

ファン・デル・メーデン画
「ハムデン・ポートレート」1563年頃

　女王に成り立てのエリザベス1世の肖像画（通称「ハムデン・ポートレート」）は、1563年頃に描かれた。コロネーション（戴冠）を象徴する花カーネーションを右手に持ち、向かって右隅には写実的な梨、桃、オリーブ、イチジク、ハニーサックル、ザクロ、アイリス、キンセンカ、オールドローズ、豆類、デイジー等の庭の植物が描かれている。足下にはノット模様の中東からの絨毯が敷いてある。

　ノットガーデンの登場は、フラワリーミードを庭の中心から後退させた。花のない刈り込んだ芝生の方が、縁取りとして相性がよかったからだ。また、今でも英国で盛んなゲーム、ローン・ボウリングの競技用芝生は、ボウリング・グリーンと呼ばれた。広大な敷地をメンテナンスする最良の方法として、一面に緑の芝生が広がるようになる（→7章）。

　庭が出来上がると、高い所から眺めてみたくなる。中世からあったマウントと呼ぶ見張り台がその役目を果たした。ハンプトンコート宮殿を手に入れたヘンリー8世は、まずテムズ川に面したサーキュラー・マウント（螺旋状に小径を作ったマウント）の上に、川と宮殿を眺めようとガゼボ（見晴し台）を配した。また階段を作らせて、数段ごとにお気に入りのキングズ・ビースト（ライオン、ヒョウ、牡鹿、アンテロープ、ドラゴン、ユニコーン）の彫刻を配したという。

　バンケットとは食後にワインと珍しいお菓子を、屋上やマウントのベンチで食べ

ることで、腹ごなしの散策を兼ねて少人数で親密な時を過ごした〔17世紀以降になるとデザートと呼ぶようになり、バンケットの意味は宴会に転訛する〕。

　諸公はこのバンケッティング・ハウスに趣向を凝らした。エリザベス1世の寵臣バーリー卿の館テオバルドには、球型のサマーハウスがあり、1階には12人のローマ皇帝の彫刻がめぐらされ、2階には魚がいっぱいの水槽があったという。

　やがてマウントから庭全体を見渡しているうち、行き当たりばったりだったデザインを、秩序あるものに統一しようという考えが浮かんだ。敵の消えた外壁の向うを望むと長閑で美しかったから、庭園を拡張したい欲求が生まれてきた。

<blockquote>
そののどかなる牧場には、うず高き干し草の山。
その模様なす花壇には、尊いあなたの命により……
飾り付けたる花冠……。
大地の実り、豊穣に……窮乏はゆめきたるまじ
『テンペスト』
</blockquote>

　シェイクスピアは、田園の素晴らしさを知っていた初期の文学者でもある。

ハンプトンコート宮園（イーストモールジー、サリー州）
Hampton Court Palace

　ハンプトンコートは、ロンドンの南西に位置する。ヘンリー8世の大法官だったウルジー枢機卿が建てた。1525年に宮殿を手に入れた王は、「どんな地上の住いよりも、

ハンプトンコートのサンクンガーデン（後方はバンケッティング・ハウス）

楽園にいるかの心地がする」と言い、以後精力的に庭作りをした。

娘のエリザベス1世もここを好み、ノットガーデンを作らせた。ノットの間にはラベンダー、キャンディータフト、ピンク（ナデシコ科）、石竹等が咲き乱れ、宮殿から眺めるとあたかもベルベットのようだったという。ツゲの縁取りと低い壁に植え込んだローズマリーの小径があり、女王のお気に入り噴水もあった。公務に忙殺されなければ、好んでバウアーに座り日光浴をしたという。

現在のハンプトンコート宮園は、イギリス屈指の大庭園で、304 ha の敷地面積のうち、26 ha にフォーマルガーデンが広がる。

過去のある時期に絞って時代考証し造園する、ピリオドガーデンが沢山あり、イギリス庭園の歴史を辿ることができる。イタリア・ルネサンス庭園に影響を受けた、サンクンガーデン（沈床式庭園）もその一つだ。これは地表面から掘り下げ、階段状に花壇を作ったもので、格段ごとに彩りを違え季節の花が咲いている。大きい方の庭はイチイの生垣を廻らし、四角く刈り込まれたアルコーブ（飾り棚）には、イタリア風に彫像が置いてある。

1690年に作られた、世界で最も有名なイチイのメイズもある。また葡萄の温室には、樹齢240年以上のブラックハンブルグという葡萄の木があり、たった1本の木にもかかわらず温室いっぱいに枝を伸ばし、長い根はテムズ川に届くほどだという。秋に収穫された葡萄は、一般客にも販売される。

◎http://www.hrp.org.uk/HamptonCourtPalace/stories/hamptoncourtgardens

ハットフィールドハウス・ガーデンズ (セント・オールバンズ近郊、ハートフォードシャー州)
Hatfield House Gardens

ハットフィールドハウスは、ロンドンの北30 kmに位置する。ヘンリー8世の子供達、メアリー、エドワード、エリザベスが幼い頃に住いした。

エリザベス1世と弟のエドワードは、10歳に満たない時からラテン語、ギリシャ語を含む語学、歴史、神学や科学を学んだ。後にエリザベスは、数カ国語を巧みに操り外交官と渡り合っている。姉のメアリー1世が王座にある間は、オールドパレスのホールで演劇や歌に情熱を注ぎ、青春を謳歌した場所だ。自分の即位を知らされると、「これは主の御業、だが我らの目には不思議に映る」と、座右の書だった聖書の言葉を引用するほどの教養人だった。バーリー卿を大臣に任命し、閣僚会議をこのホールで催したのが、最初の公務だった。

後にハンプトンコートは、バーリー卿の息子ロバート・セシルに与えられ、典型的なグレートハウスが隣に新築された。現在も子孫ソールズベリー侯爵家はここに住み、エリザベス朝を忍ぶ貴重な展示館として一部公開している。ロバートはトラディスカント父子（→6章）を雇い、ヨーロッパや北アメリカから植物を蒐集したことでも知られ、

子孫もそれに習い代々素晴らしい庭園を作っている。

　エリザベス1世女王が暮らしたオールドパレスは、ホール部分だけが残るが、そのファサード前には美しいノットガーデンが復元されている。この庭は1980年代に、先代のソールズベリー侯爵夫人がデザインした。1段上にあるウェストガーデンを囲むライムウォーク（西洋菩提樹で作った木のトンネル〔＝ギャラリー〕）を進むと、石の椅子のアーバー（四阿）に辿り着く。イングリッシュサマーにはこの四阿が、涼やかに「ランブリングレクター」と「マルチフローラ」の白薔薇で覆われる。

　ギャラリーの中ほど左に、沈床式のノットガーデンを見渡せる場所がある。このタイプの庭は、屋敷の窓やマウント、床揚げされた通路から観賞するものだが、庭に降りるガイドツアーもある。前ソールズベリー夫人の案内を読んでみよう。

　「低いヘッジ（生垣）は西洋ツゲで、噴水脇の鉢にはカーネーションが植えてあります。春には当時存在した種類の水仙が咲き、1620年にはすでに記録がある'Lac van Ryn'という、ピンクと白の縞模様のチューリップも咲きますが、これはオランダから送られたものです。」

　庭は長方形で四分割してあり、3つのノットガーデンと1つのフットメイズ（古いタイプの低い迷路）で構成される。周囲にはトピアリーが配され、庭園は建物の鏡のようにシンメトリーな調和を作り出している。

◎http://www.hatfield-house.co.uk/

ハットフィールドハウス　上左：オールドパレスガーデン、他：ウェスト＆サンダイヤルガーデン

ヘルミンガムホール・ガーデンズ
（ヘルミンガム、サフォーク州）
Helmingham Hall Gardens

　1510年に完成したチューダー朝の邸館は、中庭を囲む古い中世のスタイル。水濠が建物と庭園を囲み、昔は跳ね橋を利用して建物から庭園に移動した。持ち主のタルマック家は、フランスのノルマン地方からウィリアム1世に従って英仏海峡を渡った古豪だ。ロマンチックな佇まいに、まるで

ツルインゲンのアーバーの奥にアーンがある

ヘルミンガム・ホール　上：ノットガーデン、下右：邸館、下左：ツゲとサントリナのパルテル

第4章 女王のお気に召すままに：チューダー朝の庭

59

タイムスリップしたかのよう。

　一家の庭に対する情熱は並々ならず、夫人は著名なガーデナーだ。特にキッチンガーデンは、有機農法の野菜を美しいデザインで植え込み、収穫物は一般にも販売される。入り口にはツゲとサントリナだけで構成されたパルテル（→69頁）もあり、スチュワート朝の庭園の面影を見せている。

　ノットガーデンは通路より低いサンクンガーデンになっていて、土手から模様を観賞出来る。四分割されたガーデンの二つにはタルマック家の紋章が、他にはタルマックのイニシャルTとAとが描かれている。オールドローズガーデンも美しい。
◎http://www.helmingham.com/

❖ヨーマンやジェントリーの庭園：コッテージガーデンの曙
　14世紀に猛威を振るったペストも15世紀には収まるが、ヨーロッパ全体では人口が3割も減少し、農業のあり方は根本から変わらざるを得なかった。つまり人手のいらない牧畜が盛んになり、小作農はヨーマン（独立自営農民）になる。また下級地主層はイギリスの中間層を形成するジェントリー（郷士）として、以後時代を牽引する。エリザベス朝の商工業に携わる裕福な庶民や移民達は、ジェントリーやヨーマンと共に教育の機会を得て、中産階級を構成していく。ノブレス・オブリージュ（貴者の義務）という無償の貢献に憧れた彼等は、人々の尊敬を集め、ジェントルマンという言葉が生まれ、この精神はチャリティー（慈善事業）という形で、現在もなお生き続けている。

　教養あるヨーマンとジェントリーは田舎で自給自足の生活をしながら、貴重な記録を残し田園文化を起こした。彼等は牧場や畑、森の堺に刺のある木や、柳の枝で生垣を作り、果樹園や野菜畑、薬草園、ハーバーを作った。スイカズラのアーバーの下に草のベンチを配置したり、フェンスで囲ったハーバーに日陰になる林檎を植え、山野草や薬草を植えた。

　エリザベス朝の裕福な人々のハーフティンバー様式の建物は、樫材の柱と土壁が特徴的で多くが茅葺きだった。彼等はその土地の建材を利用したので、コッテージ（田舎家）は地方色豊かになる。18世紀の風景式庭園で流行したフィルム・オルネ（庭の添景としての田舎家）は、これらを利用したり再現したものだ。また後に古い園芸品種が、流行遅れになり絶滅しかけた時も、昔ながらの田舎家が避難所になった。親しみ易く素朴で、何とも懐かしい思いにしてくれるコッテージは、壮大で華麗な王家や貴族の庭とは一味違い、清貧の美徳を持つ（→11章）。

ストラットフォード・アポン・エイヴォン（ウォリックシャー州）
Stratford-upon-Avon

シェイクスピアが生まれ、若き日を過ごした市場町ストラットフォード・アポン・エイヴォンは地域の教育の中心、また農産物や商業生産物の流通の要だった。

当時は人口2000人足らず、昔ながらの果樹園や林が広がり、教区教会と組合教会だけが石作り、あとはすべてハーフティンバー様式だった。シェイクスピアは、商人の父とジェントリーの母を持ち、豊かな自然の中の素朴なコテージガーデンと、下層貴族のフォーマルガーデンを知っていた。昔懐かしいハーブや山野草をシェイクスピアが劇中で言及したことは、後の時代に少なからぬ影響を与えている。

ウィリアム・シェイクスピア
(1564-1616)
1610年の肖像画

エイヴォン川に面した美しい街には、当時の建物が今も残され、春から夏には、ハンギングバスケットやウィンドウボックスと呼ぶ鉢植え飾りが、国際色豊かな訪問客を迎える。庭園のあるシェイクスピア関連の建物を紹介しよう。

❖ シェイクスピアズ・バースプレイス

シェイクスピアが生まれ育った家。15世紀末〜16世紀に建てられたハーフティンバー建築で、オークはアーデンの森から、建築材は母親の里であるウィルムコートから切り出された。内部は博物館になっていて、中流家庭の内装が飾られ、使い込まれた古い家具に往時を偲ぶことができる。

裏庭には、当時一般に育てられていた花を集めたハーベーシャス・ボーダー（多年草ボーダー花壇）がある。しかし幼少時は、貴族出身の母親と事業に大成功した父親がいたから、果樹園やハーブガーデン、ベジタブルガーデンの他に、新来の植物やノットガーデンもあったかもしれない。

❖ アン・ハサウェイズ・コッテージ

シェイクスピアの妻、アン・ハサウェイの実家は、中心部からやや離れ、長閑な田園が広がる。この茅葺き屋根の家は、英国で最もロマンチックなコッテージと呼ばれる。ハサウェイ家は、人望の厚いヨーマンで、20〜36haの農場を経営する裕福な家庭だった。

おとぎの国のような高い屋根は美しく刈り込まれ、不規則な壁に小さな窓が見える。15世紀のものだが、修復はほとんど必要なかったほど頑丈な作りだという。美しい農家の横には、当時を彷彿とさせる果樹園のついた庭が広がる。低い木戸を潜ると、春

シェイクスピアズ・バースプレイス　博物館の建物と裏庭

アン・ハサウェイズ・コッテージ

には林檎の花が咲く典型的な田舎家の風情が楽しめる。イギリス人の理想の田舎暮らしは、昔日への憧れを宿し人々を魅了する。

❖ホールズ・クロフト

　ホールズ・クロフトは煙突が印象的なハーフティンバーで、北側の部分は16世紀初めに遡る。中世特有の2階部分が張り出した形式の建物だ。ウィリアム・ホールは、シェイクスピアの娘スザンナの夫で、ケンブリッジに学んだ医者だった。クロフトとは囲い小作地という意味で、それに因み四方を壁で囲んだチューダー風の庭が復元されている。優美な古い桑の木があり、日時計に導く通路には、当時の植物を集めた花のボーダー(草本類だけの長方形花壇)がある。ドクター・ホールが利用した医療用ハーブや、妻のスザンナが家政に使ったハーブも育っているはず。

　『冬物語』はシェイクスピアが晩年に書いたと言われ、田舎の情景が沢山描かれる。4幕を読むと、適齢期の娘を花の女王に仕立てる父が登場するが、彼自身も娘の結婚に骨折ったのだろうか。

　パーディタ「…父の意向で、今日のお祭りの女王役をつとめるものです。…そのお花をとってちょうだい。お年を召したあなたがたに、思い出のマンネンロウと恵みの花ヘンルーダを。…毛刈り祭によくよくおいでくださいました。…ほかのみなさまには、

この花を。香りの高いラベンダーに、ハッカ、シソに、マヨナラに、お日様とともに寝てお日様とともに露の涙を光らせて起きるキンセンカも。これはみんな真夏の花ですので、…ほんとうに皆様、よくいらっしゃいました。」

アイザック・ウォルトンズ・コッテージ
(ストーン近郊、スタッフォードシャー州)
Izaak Walton's Cottage

　英国中部のスタッフォードに生まれ、ロンドンで商人として大成功したアイザック・ウォルトンは、世界的に有名な『釣魚大全（The Complete Angler)』を、1653年に出版した。釣りの楽しさだけではなく、伝承や随想を織り交ぜ、スチュワート朝の不穏な世相を達観した名著で、その後300年も読み継がれた。商人で伝記作家、王党派の敬虔なキリスト教徒だったウォルトンは、世相に流されることなく、隠者のように静かに時代を読み解く。

アイザック・ウォルトン
(1593–1683)

　16世紀の愛らしいコッテージは、この地方特有のマグパイ〔鵲(かささぎ)＝白と黒の羽を持つ鳥〕建築で、ウォルトンが所有していたものだ。彼の遺言には生まれ故郷スタッフォードに進呈するとあり、現在は、ウォルトンの生涯や釣の歴史を紹介する博物館になっている。静かな田園に佇む典型的なコッテージには、素朴なハーブガーデンとローズガーデンもある。ウォルトンはスタッフォードの州境、ピーク・ディストリクトのダブ渓谷に、好んで釣り針を垂れたことでもよく知られる（→8章)。

◎http://www.staffordbc.gov.uk/izaak-waltons-cottage

右：ウォルトンのコッテージ
現在の姿（上）と1888年頃の写真（下）

コッテージの周囲に広がる田園

第4章 女王のお気に召すままに：チューダー朝の庭

第5章
フランスの壮大さとオランダの園芸と
スチュワート朝の庭

ブロウトン・カースル
ジャルディーノ・ディ・ボボリ（イタリア）
ヴィッラ・ペトライア（イタリア）、ヴェルサイユ宮園（フランス）
ハムハウス、ハンプトンコート宮園
ヘット・ロー宮園（オランダ）、メルボーン・ホール

かの碧玉色(サファイヤ)の泉から湧き出たいくつかの小川は…
こんもりと垂れ下がった樹陰をぬってうねうねと神酒(ネクタル)さながらに流れ…
まさに楽園にふさわしい撩乱たる百花を育んでいた。
それも、精妙な園芸によって、凝った花壇などで育成されたようなものではなく、
豊かな自然が丘や谷や野原に…多彩に景観の美にみちた、幸多き田園であったのだ。

ジョン・ミルトン著『失楽園』（平田正穂訳）

❖埴生の宿への憧れとエデンの園

17世紀のイギリスは、産みの苦しみを経験した。君主制を支持する王党派と共和制を支持する議会派の内乱で、清教徒(ピューリタン)革命と名誉革命という二つの内乱が起こり、国土は荒れ果てた。一方、外国との覇権争いと隆盛を誇る貿易のため、軍艦や商船の建造ブームも起る。当時、船舶は100%木製だったから、英国を覆っていた豊かなオークの森は裸同然になってしまった。追い打ちを掛けるように、ピューリタン革命で地主不在になった森林に民衆は分け入り、燃料を求め木を切り、食糧のため鹿を狩り、残された裸地は農地に替わった。乱獲により森は消え、世紀の終わりには慢性的な建材と燃料不足に陥る。

詩人ジョン・ミルトンは、共和制の初代護国卿クロムウェルの祐筆で、敬虔なピュー

楽園のアダムとイブ（ギュスターブ・ドレ画
『失楽園』挿絵　1866年頃）

リタンだった。王政復古後は失明し逆境の日々を送るが、その時期に英詩の最高峰と評価される長編叙事詩『失楽園』を書いている。『旧約聖書』の「創世記」に登場するアダムとイブのエデンの園からの追放をテーマにした、神と人間、そして天使と悪魔の壮大なドラマは、後の楽園イメージを決定したと言われる。

ミルトンは青年期にイタリア遊学した経験から、月桂樹やマートル（ギンバイカ）、アカンサスやジャスミンが甘い香りを漂わす、南欧風のアダムとイブの四阿を描いた。彼は緩やかな流れに展開する優美な自然線を好み、楽園は王政復古後のチャールズ2世が演出した、フランス式整形庭園のような劇場空間ではないと詠う。

ピューリタン革命は、世界に先駆けて共和制を試みたが、わずか10年の惨憺たる結末に終わった。けれども、「ペンは剣よりもつよし」。ピューリタン精神によって育まれたと言われる粘り強さ、慎ましさ、イギリス流に聖日（日曜日）を守るという英国民の特質は、その血脈に今も流れている。

ブロウトン・カースル（バンブリー近郊、オックスフォード州）
Broughton Castle

アカデミー賞を受賞した映画、『恋におちたシェイクスピア』の撮影が行われた城で、1377年以来セイエ＆セーレ卿が所有している。17世紀ピューリタン革命時代の当主ウィリアム・ウィッカムは、共和制支持の議会派軍として戦った。グレートホールには当時の甲冑が飾られ、クロムウェルやミルトンのサインなども残っている。

御濠に影を映すロマンチックな佇まいには、内乱の陰は微塵もなく、穏やかな田園の古城は、イギリスで最も美しい城と呼ばれる。城の南に面したレディーズガーデンは19世紀に作られ、アイリスを紋章化したフルール・ドゥ・リスのパルテル・ド・

ブロウトン・カースル　城とレディーズガーデン

ブロドリー（刺繍花壇）になっている。この紋章は様々な家系の他、フィレンツェ等の都市、また聖母マリアや天使ガブリエルの象徴でもある。濠を挟んだ田園は、ケイパビリティー・ブラウンの風景式庭園（→7章）が広がる。
◎http://www.broughtoncastle.com/index.htm

❖ 『シルヴァ』：植林から始まった楽園の回復

　貴族の中には争いを逃れ大陸に亡命する者もいたが、図らずもこれがイギリス庭園史に恩恵を与えることになる。処刑されたイングランド王の息子、チャールズ2世（当時は皇太子）自身もフランスに亡命し、太陽王ルイ14世の壮大で華麗なヴェルサイユ宮園に心酔する。これはフランス式整形庭園と呼ばれ、絶対君主制のシンボルとしてヨーロッパ中の君主の憧れの的になった。

　著述家で園芸家の王党派ジョン・イヴリンも亡命し、「古代の理想を語るに最も相応しい芸術は庭園だ」というイタリア・ルネサンスの庭園美学に傾倒した。16世紀のイタリアの知識人は、古代社会を崇高視し、小プリニウス（→1章）の「調和こそが美をもたらす」という言葉に魅了される。建築と庭に調和をもたらすため、建築的な手法を使う造園は、まずフィレンツェのメディチ家で再興され、やがてローマで花開く。イヴリンもイタリア風ポーチコ（列柱）やグロットー（岩穴）をデザインしたが、彼が最も貢献したのは、常緑樹を植え「楽園の常春」を演出する手法だった。

ジョン・イヴリン（1620-1706）
ゴドフリー・ネラー画　1689年

　1664年初版の『シルヴァ、すなわち国王陛下の主権領における森の木々と樹木の繁殖についての講話』という長いタイトルのイヴリンの著書は、広く読まれた。荒廃した国土回復のために植林を奨励する本で、木を植えることは物質的、精神的な資源の確保であり、まさに紳士の嗜みだと説いた。ちなみにシルヴァとは、ラテン語で「森」を意味する。原始以来消費されるままだった森は、この時から育てるものに変わり、英国の景観を決定する育樹ブームが起こる。この本は2

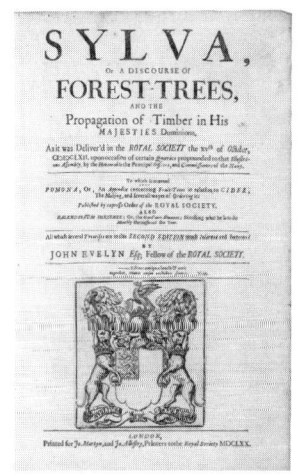

ジョン・イヴリン著『シルヴァ』
1670年版の扉

世紀の間読み継がれ、英国の景観を再構築した。

ジャルディーノ・ディ・ボボリ（フィレンツェ、イタリア）
Giardino di Boboli

　ルイ14世の祖母マリー・ドゥ・メディシスはトスカーナ大公メディチ家の出身で、この庭園があるピッティ宮で育った。後にマリーは実家を懐かしみパリにリュクサンブール宮園（メディシスの泉等）を作らせ、フランスにイタリア庭園を紹介している。

　常春の演出に常緑樹を植えた名残で、冬でも緑を堪能できるが、かつてのように幾何学的ではなく、より自然風になった。しかし宮殿から眺める馬蹄形のアンフィテアトロ（→18頁）は昔ながらの姿を留め、ルネサンス期にはここでスペッターコロ、つまり武術、カーニバル、バレエや演劇など、様々なショーが行なわれた。

◎ http://www.museumsinflorence.com/musei/boboli_garden.html
◎ http://www.merci-paris.net/point/luxembourg.html

ジャルディーノ・ディ・ボボリ　アンフィテアトロ

ヴィッラ・ペトライア（フィレンツェ郊外、イタリア）
Villa della Petraia

　ヨーロッパの庭園に大きな影響を与えたイタリア・ルネサンスの露壇式庭園で、メディチ家のフランチェスコ1世により1568年に着工された。フランドルの画家、ジュスト・ウテンスのメディチ・ヴィッラの絵（→52頁）を見ると、現在も建物と庭の配列はほとんど変わらない。イタリア式の基本構造の好例だ。

　ガーデンウォールのゲートを潜ると、1段目のスロープにあるパルテルの刺繍花壇が目に入る。ラベンダーやアメジストセージなどのハーブが、低く刈り込んだツゲの垣の中から溢れる。中央の軸線道を真っ直ぐ登り、蜜柑垣の階段を登ると長方形のプールに辿り着く。パルテルの先に植えられたポプラ樹のスクリーンを通し、借景が広がり心地よい。館内のメディチ一族の栄華を偲ぶ、美しい壁画などは一見の価値がある。

ヴィッラ・ペトライア　パルテルと借景

ヴィッラ・ペトライア　建築当時と変わらない邸館の姿
右上：美しく刈り込まれたサントリナとツゲの花壇
右下：冬支度の準備

◎ http://www.museumsinflorence.com/musei/Villa_della_Petraia_Florence.html

❖ 太陽王の秩序：フランス式整形庭園

　フランスのルイ14世は、賓客を驚かせるドラマチックな展望を欲しがった。見事にその希望を叶えた庭園デザイナー、アンドレ・ル・ノートルは、ヴェルサイユ宮園の名を庭園史に刻む。宮殿の正面に巨大なカナル（大水路）を配した水庭を作り、ヴィスタ（見通し線）を地平線の彼方にまで通し、遠近法を使ってこれを実際よりも遠くに見せる劇場空間を作った。軸線に沿って完璧なシンメトリーの幾何学的小庭を従え、秩序と規律の模範のような大庭園は出来上がる。曲線を描く借景に整形庭園を重ねるイタリア方式とは異なり、フランスの平原は軸線で覆われ幾何学が支配し、自然は壮大な緑の建造物と化した。大満足のルイ14世は、宮廷人を従え散策するのが日課になり、自ら『ヴェルサイユ宮園の案内』という小冊子まで書いている。

　精密で華麗なパルテル、整列した真っ直ぐな並木道、巨大な運河、高く吹き上がる数々の

ヴェルサイユ宮殿と庭園の眺望（1668年　ピエール・パテル画）

豪奢で華麗な噴水、彫刻のようなトピアリー、ギリシャ・ローマ風の大理石の彫刻、オベリスク、優雅な四阿やトンネル・アーバー、メーズやラビリンス、精巧な装飾を施した巨大な鳥籠や動物園、貴重な植物の温室など、数々のアトラクションは、統一と調和のもとに整列した。この絶対君主制を翻訳したような太陽王の庭園芸術、緑と水と光のスペクタクルを、ヨーロッパ中の王侯貴族はこぞって真似た。

　フランス式整形庭園を特徴づけるのがパルテルだ。パルテルの語源はイタリア語の分割（partire）で、もともと中央軸線に沿って四分割するのを意味した。フランスで盛んになったパルテル・ド・ブロドリー（刺繍花壇）は、婦人が刺繍の図案にしたことからそう呼ばれる。矮性の西洋ツゲ（*Buxes sempervirens* 'Suffruticosa'）で繊細な模様を刈り込み、後には花の代わりに色砂利を敷いたり、池を配した。パルテルは宮廷の華として、建物に一番近い場所に作られた。

　パルテルは室内の絨毯のように低く仕立てるのが常で、これに対しパリセイドという緑の壁で、周りを囲い込んだ。蔓性植物や落葉樹をランダムに使った自然風の生垣に代わり、シデやニラ、カバの木を規則的に植え、きちんと刈り込むようにした。場所によっては屋根付きのトンネル・アーバーに仕立て、日光や風雨を避けて庭を眺めたり、パーティーを楽しんだ。

パルテルとパリセイド

パリセイド・イタリエンス

ジャルディーノ・ディ・ボボリ　18世紀のリモナイア（左）と小島池のパルテル・ドランジェリ（右）

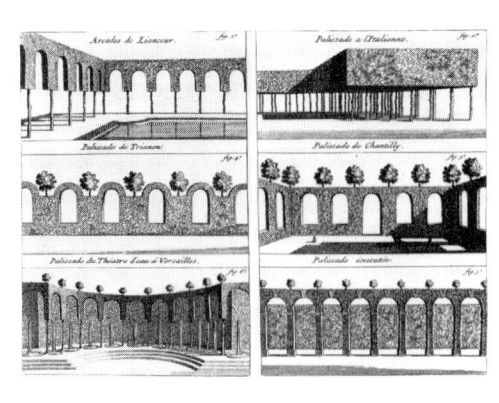

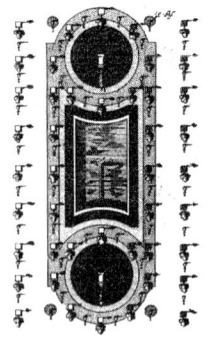

左：様々なパリセーズ、右：パルテル・ドランジェリの平面図（ダルジャンビル『造園の理論と実践』（1712年）より）

　芳しい南国の果物レモンは花と実が一度に咲くため古来常春を象徴した。こうして高価なレモンや柑橘類の植木鉢は、夏の庭を彩る必需品になる。16世紀イタリアでは、鉢植えを越冬させる装飾的な建物が作られ、レモンに因みリモナイアと呼んだ。日照や温度管理は試行錯誤の連続だった。ジャルディーノ・ディ・ボボリには18世紀のリモナイアがあり、今でも500鉢の柑橘類が越冬している。

　一方、冬に黄金の実をつけるオレンジは、太陽の身代わりとされ、太陽王ルイ14世のお気に入りだった。王は華麗なオランジェリー（フランスのリモナイア）をヴェルサイユに建て、1200本ものオレンジの鉢植えを入れる。夏には、池や噴水を囲んで柑橘類の鉢を置き、これをパルテル・ドランジェリと呼んだ。

ヴェルサイユ宮園（パリ郊外、フランス）
Les Jardins et le Parc de Versailles

　世界的に知られるヴェルサイユ宮園は、800haの広さを誇る。鏡の回廊の正面から水庭の遥か先に、水平線まで展望が開ける。巨大な水路と噴水、シンメトリーに連なるパルテルなどが、見る者を圧倒する。オランジェリー前は、オレンジ、レモン、ザ

ヴェルサイユ宮園　オランジェリー前のパルテル

クロ等の鉢が並び、中には樹齢200年以上ものもある。
◎ http://jp.chateauversailles.fr/jp/discover-estate

❖ チャールズ2世下のハンプトンコート宮園
　1660年の王政復古とともに亡命先のフランスから帰還したチャールズ2世は、専制的で贅沢な王だった。さっそく宮廷を豪華なバロック風に改造し始める。
　ハンプトンコート宮園（→4章）にも、ロンドンのセント・ポール大聖堂を作った建築家クリストファー・レンを雇い、ポルトガルから嫁したキャサリン王妃のために、金メッキのバルコニーを作らせた。またル・ノートルの弟子を雇い、王妃のバルコニーを中心に展開する半円形の庭を造園させている。華麗なパルテル・ド・ブロドリーには、噴水を高々と吹き上げる円形の池が大小13個あり、パルテル全体を758本の西洋菩提樹が囲んだ。バルコニー正面を基点とする中心軸線の先には、ヴェルサイユに似せた巨大なロング・ウォーター・カナルを作らせ、カナルの左右には、グース・フット*の2本の並木道を作り、ディア・パークの遥か先へと延ばした。
　王はここを楽園と呼んだが、ルイ14世の庭に比べ自然は変化に富んでいた。並木道は丘の先に消え、運河からは霧が立ちこめる。テムズ川の流れに中断された幾何学庭園は、専制国家が育ち憎いイギリスの土壌を暗示するかのようだ。

　　　　　　　　＊グース・フット：鳥の指を意味する放射状の通路で、ローマのポポロ広場や合衆国の首都ワシントンでも使われた。

| ハムハウス（ハム、サリー州）
| Ham House and Gardens

　テムズ河畔のハムにある邸館で、17世紀の原型をよく残している。社交界で華々しい活躍をした持ち主のローラーデール公爵夫人は、議会派のクロムウェルと親しかったが、実は王党派のスパイという女傑だった。大胆にも敵将を隠れ蓑に、亡命中のチャールズ皇太子を支持する秘密結社、シールズ・ノットに通じていたという。
　庭園は17世紀終りのもので、中央軸線を貫く並木道が今も真っ直ぐ延びる。残されたデザインに基づいて、ラベンダーとサントリナの幾何学模様のパルテル（アカデミー衣装デザイン賞を受賞した映画『ヴィクトリア女王：世紀の愛』で、女王がアルバート公の絵を描くシーンで使われた）、オランジェリー前のキッチンガーデンやトンネル・アーバーなどが復元されている。館には夫人が特注した、イギリス製のジャパニング*（西洋漆器）家具が展示される。ナショナル・トラストの管理。

　　　　　　　　＊ジャパニング（→7章：シノワズリー）：東洋趣味の流行で中国や日本の漆器は引っ張りだこだった。だが本物は高価だったため、似たような安価な家具が欧州で作られるようになり、これをジャパニングと英語で呼んだ。

ハムハウス
上左・下右：ラベンダーとサントリナを植えた幾何学模様のパルテル
下左：イギリス製のジャパニングキャビネット
（1688年頃 ヴィクトリア＆アルバート美術館蔵）

◎ http://www.nationaltrust.org.uk/ham-house/

❖王様はガーデニングがお好き

　イギリスでは専制君主は好まれない。1688年には名誉革命が起こり、オランダ総督のウィリアム3世とメアリー2世が王位につき、世界に先駆けイギリス立憲君主国家の基礎が築かれる。

　オランダ庭園もフランスの影響を受けたが、スケールは控えめ、装飾はより複雑だった。何よりガーデニング先進国だったから、植物に対する愛着と繊細な情熱を、そのままイギリス人の国民感情に変えてしまう。園芸好きのウィリアムとメアリーは、狩猟の館ヘット・ロー宮殿にバロック調のオランダ整形式庭園を造園した。巨大なトンネル・アーバーのメイズ（迷路）は、不思議な緑のオブジェとして名高い。

　二人はハンプトンコート宮園を気に入り、イギリス滞在中足繁く訪れている。オランダから庭師を伴い、王族の私的な庭園プリヴィーガーデンを洗練されたイギリス風パルテルに作り替えた。これは中央に芝生を敷き詰め、周囲をツゲで囲んだもので、中側に様々な花を植え込む初期のボーダー花壇だった。

　現在のプリヴィーガーデンは1995年に復元したもので、1702年当時のデザインを基にしている。やや高い場所から楽しめるよう左右に巨大な堤が作られ、宮殿から向かって右側には、シデの木（当時は楡の木だった）のクィーンズ・アーバーがある。ここで女王は、女官と刺繍を楽しんだという。斑入りの柊と円錐に刈り込んだイチイの木のトピアリーは庭にちりばめてある。建築的庭園を愛でるルイ14世と違い、ウィリアムとメアリーには植物のディーテールも大切だったから、花同士

の間隔が広くとってある。珍しい花の細部を観察するのがオランダ風だった。これはラテン系とアングロ・サクソン系の一般的な趣向の違いを表している。アルプス以北の民族は、押し並べて植物自体に強い関心を持ち、南の人々はより全体の構成に興味がある。

ヘット・ローの迷路

　当時英国の芝生はほとんどオランダ産だったし、先のチャールズ2世の西洋菩提樹の並木道も、オランダから取り寄せていた。他にも最新のチューリップやヒヤシンス、ヒマワリ、八重咲きのアネモネ、ホリホック、フレンチマリーゴールド、ルピナス、芳しいオールドローズ、サボテン、アロエ、ユッカ、椰子などが運ばれた。マートル（ギンバイカ）、ザクロ、オレンジなどの半耐寒性の常緑樹は鉢植えにし、夏にはパルテルの周囲に飾り付けた。

　王の園芸好きはガーデニングに市民権を与え、園芸を「紳士の嗜み」に引き上げた。また、外来のエキゾチックな植物が大好きだった女王は、オランダ製デルフト焼きの花瓶を特注し、フランドル派の静物画のようにアレンジして、訪問客をアッと言わせた。寒さに弱い植物を育てる暖房器のあるホットハウス（温室）やオランジェリーも作らせ、東インド諸島、セイロン、喜望峰、バルバドス等の植物を2000種も蒐集した。高価なデルフト焼きや金メッキの凝った装飾鉢には、誇らし気に最も珍しい植物が植えられた。

　ウィリアム3世の名字はオレンジ（オランダ語でオラニエ）だったから、オランジェリーにはもちろんオレンジが1000鉢も蒐集されていて、当時としては世界最大の植物コレクションがあった。この多種多様な世界の植物は、後に王立植物園キューガーデン（→6章）に引き継がれる。ウィリアム3世とメアリー2世の作ったロウワー・オランジェリーガーデンも、近年復元され見学が可能だ。

■ ハンプトンコート宮園（イーストモールジー、サリー州）
Hampton Court Palace

　プリヴィーガーデン、ロウワー・オランジェリーガーデン（→4章）。広大な敷地の緑地では、7月にハンプトンコート・フラワーショーが開かれる。

◎ http://www.hrp.org.uk/HamptonCourtPalace/stories/hamptoncourtgardens

ハンプトンコート宮園
左上：花のパルテル、右上・下：プリヴィーガーデン
左下：プリヴィーガーデンの美しい柵と鉢植え

ヘット・ロー宮園（アペルドールン、オランダ）
Paleis Het Loo

　ウィリアム3世が建設したオランダ王家の城で、一般公開されている。宮殿内部の装飾のみならず、庭園も素晴らしい。華やかなバロック調のオランダ整形庭園は、17世紀のデザインに基づいて忠実に復元された。特にパルテル・ド・ブロドリーやイギリス風パルテル、またアーバーなどは見応えがある。

1700年頃のヘット・ロー宮園

◎ http://www.paleishetloo.nl/mainpage/1/2/Bezoekinformatie__Openingstijden_En_Prijzen.html

❖ ブロンプトンパーク・ガーデン：国産育苗業の発達

　植林や造園が盛んになると、大量の苗木が必要になった。先に述べたように、先進国のフランスやオランダから輸入したが、品質にばらつきがあり、名前が統一されていなかったので、混乱や間違いがしばしば起った。そこで良質の苗を供給しようとするガーデナーが集まり、1681年にブロンプトンパークにナーサリー（育苗

業者）が出来て、英国のガーデニング・ビジネスが本格的に誕生した。

　経営者のジョージ・ロンドンとヘンリー・ワイズは、すぐに英国中の主たる庭園を一手に引き受け、大変な評判を呼んだ。しかし、彼等は主だった大貴族の庭を同じ手法でデザインしたので、国中に似たような整形式庭園が溢れかえった。

　庭園のスケールの大きさと完成度を競った諸侯は、自慢のたねに所領の図版画を残している。レオナルト・ニフの鳥瞰図がそれだ。野原という意味だが、実際は木を整然と植え込んだウィルダーネスや、果樹園、運河などが整列していて、畏まりすぎた当時の庭園の姿を今にとどめる。次の世紀に大流行した英国風景式庭園のお陰で、これらのほとんどは跡形

ハンプトンコート宮園
レオナルト・ニフ画の鳥瞰図（部分）

メルボーン・ホール［本文は次頁］
左：イチイのトンネルと円池
右上：芝生にはかつて刺繍花壇があった
下右：白藤のアーバー
下左：「鳥かご」と呼ばれる鋳鉄のアーバー

第5章　フランスの壮大さとオランダの園芸と…スチュワート朝の庭

75

も無いほどに変わってしまった。それはイギリス人にとって、シンメトリーが居心地よくなかったことを何よりも物語る。しかし、ブロンプトンパークの始めたナーサリー（種苗業）は、イギリスを代表する産業として以後着実に発展していく。

■メルボーン・ホール（メルボーン、ダービーシャー州）
Melbourne Hall and Gardens　　　　　　　　　　　　　　［写真は前頁］

　メルボーン・ホールは、フランスとオランダの影響を強く受けた18世紀初期の館で、風景式庭園の変化をまったく受けずに残ったほぼ唯一の庭だ。チャールズ1世の首席秘書官だった、ジョン・コーク卿によって購入され、現在は子孫のラルフ・カー卿夫妻の心安らぐ住いで、一部が公開されている。

　邸宅から西に向かって広がるパルテルは芝生で覆われるが、かつてはアン女王のプリヴィーガーデンに似た模様だったという記録が残る。17世紀末、主人のトーマス・コーク卿はフランスとオランダで庭園デザインの研鑽を積んだ。フランス王の庭師ル・ノートルにパリで対面したジョージ・ロンドンに、庭のデザイン画を送ってアドバイスを求めている。ロンドンはハンプトンコートのプリヴィーガーデンを手がけたから、メルボーンの庭もエキゾチックな花が咲き競ったことだろう。それを裏付けるように、彼はブロンプトンパークから1000本の楡、600本の菩提樹、2000本のシデやカバ類、数百本の低木と何千という球根類を購入している。

　「鳥かご」とあだ名される優雅な鋳鉄性アーバー（四阿〈あずまや〉）は、イギリスの鍛冶職人の作品だ。フランスの華麗な様式に遜色ない、英国職人の技術の高さを見せている。パルテル横のイチイのトンネル・アーバーは、300年の時を経て森と化した。また、円池の噴水や数々の彫刻は、華麗なバロック庭園の面影を宿す。
◎ http://www.melbournehall.com/flash_content/index.html

❖イギリス人に相応しい楽園とは？

　チャールズ2世は最新の庭のデザインを、ウィリアムとメアリーは新奇な園芸を紹介したが、結局スチュワート文化はパワーのお仕着せだった。18世紀に入ると、パルテル刺繍花壇はタルトの模様みたいで子供っぽく陳腐、神聖な職業であるガーデナーに、整形式は相応しくないと批判されるようになる。

　ほぼ1世紀の間、闘争に明け暮れた人々が切望したエデンの園は、冒頭で紹介したミルトンの描く平和で質素な「埴生の宿」であり、長閑な風景だった。まだ罪を知らぬ汚れなきイブの姿を、悪魔が見とれる場面にもそれが読み取れる。

　「それは、あたかもごみごみした家並や下水のために空気が汚れている、人口

稠密な都会に長い間閉じ込められていた人が、ある夏の朝、近くの爽やかな村や農場に出かけて清々しい空気を吸い、そこで出逢うあらゆるもの─穀物や干し草や家畜や搾乳場などから漂ってくる匂い、あらゆる田園の風景、音、そういったものから喜びを感ずる〔かのようだった。(著者追記)〕…」

『失楽園』(平田訳)

　アダムとイブは神の創造した自然の園にいた、これこそ神と人との幸いな姿だ。荒廃した都市を離れ、田舎に再び楽園を作りに行こう。額に汗する人生こそ、原始の天職なのだからとミルトンは誘う。それは、喧噪に煩う現代人にも共感を持って迫り来る。

　哲学者フランシス・ベーコンは、『庭について』というエッセイで、庭とは「神がエデンに創造した、人のための純然たる喜び、精神の偉大なるリフレッシュメント、慰安の場所だ」と説く。ベーコンやミルトンが理想とした「庭＝エデンの園」は、王権や豊穣を誇示する劇場庭園ではない。神から授かった、自然と人とが共同作業する平安と慰安の場所なのだ。軍隊のように規則正しく配列された緑の建造物は息苦しく、理想と掛け離れているではないか。それではイギリスらしい楽園とは、いったいどんなものなのだろうと、彼等は問いかけ始めた（→7章以降）。

第6章
楽園の回復
プラントハンターと植物園

ガーデン・ミュージアム
キューケンホフ公園（オランダ）
オックスフォード植物園、チェルシー・フィジックガーデン
王立植物園キューガーデン
国立植物園グラスネヴィン（アイルランド）

汝、新来の者よ、この石の下に
ジョン・トラディスカントの祖父、父、息子横たわる
先の者その齢の春に行き、後の二人その手腕と恩寵の旅に廻り生きぬ
彼等の選びし物どもは、地にも海にも大気にも希有なるものと映りたり…
双方は、女王の薔薇とユリの庭師なりしが、今や此処に自らを植えて眠りぬ
天使がそのラッパの号令にて人を蘇らせ、世を火で浄めし時来たれば、
彼等もまた蘇り、この庭をば楽園に変えん。

トラディスカント家の墓碑銘

❖トラディスカント父子：プラントハンターの誕生

イギリスに蔓延した植物愛好癖を、庭園史家アンヌ・スコット・ジェイムズは、「まるで憑かれたごとくに華々しく展開するイギリス趣味」と表現する。

17世紀前半になると、未知の植物を探す冒険の旅に駆り立てられ、植物採集を

ジョン・トラディスカント父（左）と子（右）の肖像
（アシュモリアン美術館蔵）

ハットフィールドハウスの浮彫り

左：ムラサキツユクサ
(『カーチス・ボタニカルマガジン』1789年)

右：ユリノキ
(エイレットの原画による銅版画　18世紀)

専門とするプラントハンターが生まれた。イギリス人が憧れるこの職業に最初に就いたのは、ジョン・トラディスカント父子だった。父親のジョンはヨーロッパ全域、ロシア、北アフリカを廻り、オレンジやレモン、チューリップ、カーネーションなどを持ち帰った。またハットフィールドハウス（→4章）の新館のため、オランダやフランスのナーサリーから、何千本もの街路樹やパルテル用球根を購入し、その請求書は今も残されている。新館の美しい木彫りの階段には、鋤と籠を持った人物の浮き彫りが軸柱に施されているが、これは当主の初代ソールズベリー卿に仕えたトラディスカント本人の姿だという。

　息子は米国ヴァージニア州から、アメリカスズカケノキ、ヌマスギ、ツキヌキニンドウなど、今ではよく知られる植物を持ち帰っている。中でもトラディスカントの代名詞、紫色の三弁花トラディスカンティア・ヴィルギニアーナ（ムラサキツユクサ）とユリノキは有名だ。ユリノキは薄緑色の花の中頃にオレンジのラインが入り筒状をしている。チューリップがもてはやされたせいだろう、英語ではチューリップ・ツリーと呼ぶ。父はチャールズ1世の王室庭園長（ロイヤル・ヘッドガーデナー）に抜擢された。王はピューリタン革命で失脚したが、王政復古後には息子の方が、チャールズ2世に仕えている（→5章）。

ガーデン・ミュージアム
（ランベス、ロンドン）
The Garden Museum

　テムズ川南岸に、トラディスカント父子の偉業を記念した小さな博物館、ガーデン・ミュージアムがある。かつてトラディスカント家は、この

トラディスカント家の墓碑がある中庭

第6章　楽園の回復：プラントハンターと植物園

地にナーサリーを持っていた。今はミュージアムになっているセント・メアリー・オブ・ランベス旧教会の中庭には、トラディスカント家の墓所がある。その隣にトラディスカント所縁の前ソールズベリー候爵夫人（→4章）が、小さな正方形のノットガーデンをデザインしていて、ムラサキツユクサ等の二人に因んだ植物が植えてある。
◎http://www.gardenmuseum.org.uk/

❖オーリキュラ：フローリスト・フラワーの王様

　イングリッシュガーデンが好きなら、ロンドンのチェルシーフラワーショーは憧れの場所だ。王立園芸協会主催で、花卉協会、盆栽協会、コッテージガーデン協会、水仙協会、椿協会、薔薇協会、フラワーアレンジ協会、ナショナルトラストなど、またプロのナーサリーや園芸学校が、様々なコンテストに参加している。庭作りのヒントを学び珍しい植物を探し、日がな一日楽しむフラワーショーは、イギリスの顔であり国民的レジャーなので、全国津々浦々でも行なわれ家族連れで賑わう。

　温暖なイギリス南西端コーンウォール半島は、花前線が最も早く訪れ、他に先駆け春一番にフラワーショーが開催される。プロのナーサリーが優劣を競うブースで、留学中だった筆者の目を惹いたのは、小さいけれども様々な花色が魅力的なオーリキュラ、16世紀に遡る最初のフローリストフラワーだった（→4章）。この花の品種と変種だけを蒐集するマニアックな人達が世界中にいて、現在でも英国プリムラ・オーリキュラ協会が組織されている。

　植物愛好癖は、もともと16世紀頃のイタリアで起こった。植物学者がアルプスで見つけた桜草の仲間、高山植物のオーリキュラ（*Primula auricula*）がその始まりだ。肉厚の灰緑色の葉は粉を吹いたようで、花の中央部に目がある。変種が出来易く、レモン色、鴇色、青銅色、白銀色、黒紫色、あるいは赤紫色等があり、蠟細工かベルベットかと見紛う。オーリキュラはかつてステータスシンボルで、小鉢に1本ずつ仕立て、オーリキュラ劇場（シアター）と呼ぶ特別の棚を作って飾りつけられた。また、貴族の肖像画と一緒に鉢植えが描かれることもあった。

オーリキュラの鉢の側に立つマーサ・ローデスの肖像
（C.スティール画　1750年　個人蔵）

オーリキュラシアター 　　　　八重咲きのオーリキュラ 　　　ストライプの入った
　　　　　　　　　　　　　　　　　　　　　　　　　　　　　　ショー・オーリキュラ

❖チューリッポマニア：チューリップに沸いたオランダ
　次に流行（はや）ったのはトルコ原産のチューリップだった。神聖ローマ皇帝大使がオスマン・トルコ土産に、鮮やかな色彩の珍しい園芸植物を持ち帰ったのが事の発端だ。特にオランダのチューリップ人気は尋常ではなく、1630年代にチューリッポマニア（チューリップ狂）が起こる。法外な値をつけた者がいたせいで、瞬く間に投機の対象になった。珍しい種類は、個人の全財産に匹敵する価格にまでつり上がり、最後には実体のない紙上のチューリップまで横行した。ペーパー取引は沢山の悲劇を生み、世界初のバブルは崩壊、オランダ政府によって幕引きされた。しかし観賞植物の投機的可能性は、この事件でかえって関心を呼び、後にオランダはチューリップをはじめとする世界有数の球根産出国になる。
　ところで1581年にスペインからオランダが独立すると、オランダではキリスト教プロテスタント派が勢力を持った。彼等は聖画を偶像と見なしたので製作が停滞し、代わって「ヴァニ

ヤン・ダーフィッツゾーン・デ・ヘーム《ガラス花瓶の花》
1683年　アムステルダム国立美術館蔵

第6章　楽園の回復：プラントハンターと植物園

タス」と呼ばれる神秘的な静物画が発達する。これは人生の儚さや時の移ろいを寓意化したもので、例えば「虚栄」を腐りかけの果物や骸骨で表し、どんな栄華を極めても人はやがて衰えるものだという教訓を暗示した。

デ・ヘームの《ガラス花瓶の花》（前頁）を見てみよう。山野草と一緒に八重咲きの芥子、カーネーション、縞模様のチューリップ、ラナンキュラス、センティフォリア・ローズなどのフローリスト・フラワーが生けてある。このタイプの絵画では四季の花を一つの画面に描き、時の移ろいを表現するのが特徴で、花期の異なる植物が、百花繚乱と咲き誇る。また蝸牛や蝶はこの世の栄華を貪るものを表し、来世に望みを置き勤勉で徳を積む人生を送ろうと諭している。極めて写実的なこれらの絵画は、図らずも科学的な植物画を発展させてゆく。

キューケンホフ公園（リッセ、オランダ）
Keukenhof

花の国オランダのキューケンホフ公園は、世界的に知られている。3月から5月にかけ32haの公園は、700万個以上の球根が咲きそろう。遊歩道は15kmに及び、多くの観光客で賑わう。4月には、オランダ最大のフラワーパレードが行なわれ、花で飾られた数十台の山車が繰り出す。
◎ http://www.keukenhof.nl/jp/

4月のキューケンホフ公園

❖出版ラッシュ

かつて植物図鑑の役目は、薬草の使い方を説明することだった。それらは手描きだったので、裕福な人々だけのものだったが、未知の植物が続々流入すると、皆が植物図鑑を欲しがるようになる。ちょうどその頃、活版印刷が一般化され複写が容易になり、ハーバル（薬用植物図鑑）や園芸書が次々に出版された。

ジェイムズ1世とチャールズ1世に仕えた薬学者、博物学者、そしてイギリス最初の植物学者ジョン・パーキンソンの『太陽の楽園、地上の楽園』は、1629年に出版され、1640年には早くも改訂版が出るほどの人気を博した。パーキンソンは一級の園芸家で、外国とも盛んに情報交換していた。4000種もの植物を取り上げ、花、野菜、果実の見分け方や育て方など、実用的な造園技術を紹介する一方、植物の装飾性を意識的に説明したことは画期的だった。『シルヴァ』を書いたジョン・

パーキンソン『太陽の楽園、地上の楽園』(1629年版) より
扉 (左) と様々なクロッカスの図 (右)

イヴリン (→5章) もこの本を、庭作りの参考に使っている。

イギリスを代表する植物学者ジョン・レイの『花、穀物、果樹』(1665年出版) はジェントリー階級向けで、果樹園と草花の庭に相応しい植物を紹介した。デリケートなオレンジ用の温室や、膨大なチューリップのリストもあり、珍しいチューリップは単独で植えるべきだと、植栽方法までアドバイスしている。鳥や香りや野菜に至るまで、自然への愛着に溢れた本で、フランス的なかしこまった庭は花を軽視していると眉をひそめ、英仏の庭の好みの違いを表現した。

中世の植物研究は、もっぱら薬草園のハーブをどう利用するかだった。見慣れた植物を調べるのだから、写実性はあまり関係ない。古い本草書の写本を繰り返すうち、挿絵は本物からほど遠くなり、いったい何なのか判別できないほどだった。ところが植物採集に出かけると、今までの絵や分類方法はまったく役立たない。こうして未知の植物を求める情熱が、科学的で写実的な絵を描く植物画家(ボタニカル・イラストレーター)を生みだす。

レイ『花、穀物、果樹』(1665年) の扉

第6章 楽園の回復：プラントハンターと植物園

83

❖楽園回復はガーデナーの天職

　ヨーロッパ人の世界進出を、地理的発見の黄金時代と呼ぶ。この驚くべき拡大の原動力は、実は楽園の探索にあった。かつてアダムとイブが追われた楽園は、ノアの大洪水を逃れ何処かにあるはずだと西洋人は信じていた。コロンブスが新大陸を称して、地上の楽園を発見したと断言した理由はそこにある。しかし、「賢者を大いに悩ませし、古きエデンのありし地よ、アラビアの野と言いし者あり、もはや無しと言いし者あり」と、医者で詩人のナサニエル・コットンも詠うように、16世紀中頃には世界の全体像が見え始め、楽園は存在しないらしいと分かってきた。

　しかし実証科学の研究は神を身近に感じる手段だという考えは相変わらずあって、例えば『失楽園』の著者ミルトンは、天体の現象を調べれば、神の驚くべき御業を読むことが出来ると言っている。人間の堕落により自然は世界中に離散した。世界の四方から植物を再び集めるのは、アダムの子孫である人類の使命だと17世紀の人々は考えたのだった。

　隠されていた四番目のアメリカ大陸が見つかり、ヨーロッパ、アジア、アフリカ（オセアニアはまだ発見されていなかった）と併せ、散らばったパズルを完成し神の業を読み解こう。こうして未知の植物を一カ所に集め系統的に調べることは、植物学者の使命になった。また植物（ハーブ）は薬だから、世界中から蒐集すれば、すべての傷や伝染病は癒せるはずとも信じられた。

　『失楽園』のクライマックスで、アダムとイブは楽園を追われ、未知の世界に旅立っていく。だが、二人は失望と落胆に苛まれるのではなく、「安住の地を求め選ぶべき世界が、彼らの眼前にひろがっていた…」と、むしろ楽観的に旅立つ。アメリカに移民したピューリタン達のように、世界の何処かに作られるはずの自由の地、苦難のない楽園に、ミルトンも希望を託しながら筆を置いたのだろう。

　エデンの園で誘惑に負け、人類が楽園追放されなければ、神は愛を知らせるため、キリストを送る機会を逸すところだった。深い神の愛を経験した世界は、むしろエデンの園よりも幸多き場所になるはずだとさえ考えられた。この前向きで楽

エデンの園から流れ出る4本の川
『キリストの生涯』（1503年）より

観的、生産的な考えは、社会構造の舵を重商主義へと導く。また、エデンの喪失を回復しよう、ガーデニングとは「楽園の再創造」だという思いが、ガーデナーの心に刻まれた。今でもイギリス人のガーデニング熱の根底に、この考えは伏流している。

❖イギリス最古のオックスフォード植物園

> 神である主は、東の方エデンに園を設け、そこに主の形作った人を置かれた。
> …一つの川が、この園を潤すため、エデンから出ており、
> そこから分かれて、四つの源となっていた。
> 『旧約聖書』「創世記」2章8節、10節

　世界の植物を集める仕事は、1545年にイタリア、ヴェニス郊外の大学町パドヴァ植物園で始まった。利用するためでも観賞するためでもない新しい目的の庭で、植物を命名する研究者は「新しいアダム」と呼ばれた。イギリス最古のオックスフォード大学付属植物園も、1621年に始まる。では神の業を読み解くための楽園は、どんなデザインだったのか。原型は聖書のエデンに由来している。

オックスフォード大学植物園
右下：草木類のボーダー
左：植物の科別に分類されたコーナー
（ノウゼンハレン科）

17世紀の人々は、四季も不整形の自然界も醜いと考えたから、整形式の秩序正しい花壇を好み、中世以来の伝統にのっとり、庭を四分割し中央に泉や池を置いた。まずチャーウェル川北岸に、堂々とした門を置き壁を廻らし、門を基点に土地を四分割し、中央に通る十字路の中心には、エデンの水源を模した池と噴水が作られた。長方形の花壇を規則正しく並べ、種類別に植物を配した。エデンは常春だったのだから、一年中花や果実が実るはずと、寒いイギリスでは非耐寒性植物を守るオランジェリー（温室）も必要になった。こうして、世界中の多種多様な植物を一堂に会するという、自然科学的植物園がスタートする。

オックスフォード植物園（オックスフォード）
The University of Oxford Botanic Garden

　大学町オックスフォードの中ほど、開設当初と同じ場所に植物園はある。大学付属の植物園としては大きくないが、歴史的に重要な場所だ。開園に奔走した伯爵に因み名付けられたダンビーの門をくぐると、美しく手入れされた四分割の庭が迎えてくれる。巨大な木々やチャーウェル川の流れ、イギリスらしい草本類のボーダー植栽により、植物園とは思えない完成した庭園美を作り出している。

　21世紀でも、そのモットー「神の業を学び、その栄光を称える」は変わらない。世界中の植物園が出版し交換し合う、「種リスト」の原型はここから始まったが、温室横の「1648年コレクション」という植え込みは、最初のカタログに因んだツゲやアカンサスなどのピリオドボーダーになっている。1500年代にはたった200種類だった園芸植物は、この頃には1600種に膨れ上がり、植物分類学はどんどん発達した。現在はほとんどの科から、8000種以上の植物が収集されている。
◎ http://www.botanic-garden.ox.ac.uk/

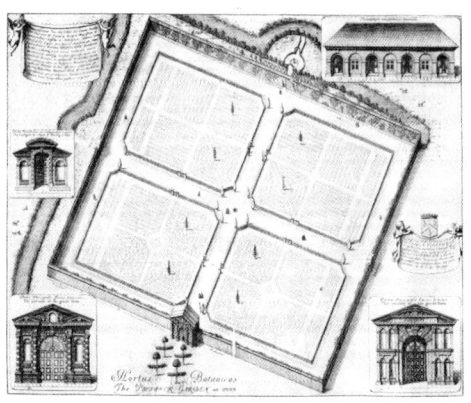

オックスフォード植物園の最初の設計図
四分割された土地はヨーロッパ、アジア、アフリカ、アメリカの四大陸を表している。

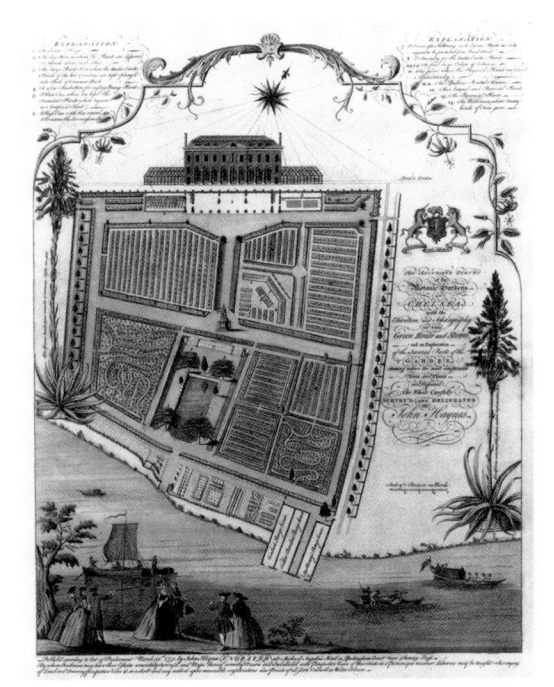

チェルシー・フィジックガーデンの設計図（1683年）

❖チェルシー・フィジックガーデン

　1673年、薬剤師協会のメンバーは、テムズ川北岸のチェルシーに薬草園を作った。その頃に起こったペストの大流行によって、ロンドンの人々が薬草の大切さをあらためて思い知ったためだった。

　しかし、経営は思わしくなく、1712年にスローン卿に売却される。薬草研究を継続するという約束が取り交わされ、イギリス園芸の父と呼ばれたフィリップ・ミラーが庭園長になった。彼は世界中の研究家と文通をし、植物を蒐集したから、当初1000種だった植物は、アメリカ、西インド諸島、喜望峰、シベリアなどから運ばれた5000種に膨れ上がる。爆発的な流入は、薬効より分類や育成法の研究を推進した。18世紀には、リンネの二名式が浸透し、もはや植物学は薬草学の召使いではなくなり、独立した分野が誕生する。

▍チェルシー・フィジックガーデン（チェルシー、ロンドン）
　Chelsea Physic Garden

　ロンドン中心部の閑静な高級住宅街チェルシーに、チェルシー・フィジックガーデンは変わらずその姿を留める。壁に囲まれた小さな入り口を潜ると、そこは緑に溢

た都会のオアシスだ。英国では冬の保護がないと育たないはずのオリーブの大木があり、樹齢は 100 年を超える。ロンドンの温暖な気候が幸いし実りさえ楽しめる。今でもフィジック（薬用）という名の通り、芳しい薬草など有用植物が迎えてくれる。
◎ http://www.chelseaphysicgarden.co.uk/index.html

チェルシー・フィジックガーデン　入口と園内

左上：苗床で育つハーブ、左下：オリーブの木
中：ガーデンを見下ろす周囲のアパート
右：カールドン、サントリナ、ツゲなど

❖「農夫ジョージ」とあだ名された国王

　未知の世界だった極東の事情は、日本に来たザビエル等のカトリック宣教師、次に中国の皇帝に仕えた宣教師などから知らされた。日本からは天正、慶長と二度の遣欧使節団を派遣し、南ヨーロッパで大歓迎を受け、グローバルな交流があった。欧州では遠国への憧れから、中国の染付けを真似た陶磁器や、日本や東南アジアの漆器を真似たジャパニング（西洋漆器）などが発達し、東洋を理想化したシノワズリー（中国趣味）は、ヨーロッパ中で大流行した（→7章）。

　また、中国皇帝に仕えた宣教師からは、極東の庭園はアシンメトリーで優雅だとの報告が到来し、次章で紹介する不整形なイギリス風景庭園に少なからず影響を与えている。ジョージ3世の母オーガスタ内親王は、1761年にウィリアム・チェンバーズ卿に中国風パゴダを作らせたが、これは今でもキューガーデンのシンボルになっている。園を引き継いだジョージ3世と妃のシャルロッテは、これに併せてブリッジマン、ケントに風景庭園を設計させている（→7章）。

　ジョージ3世は農場経営に執心で、自ら畑を耕し牧畜を営み、「農夫ジョージ」とあだ名された。先のチェルシー薬草園のミラー庭園長には、優秀な弟子が二人いて、王はその一人ウィリアム・エイトンにキューガーデンの管理を任せた。またミラーのもう一人の弟子、博物学者のジョセフ・バンクス男爵を雇い、世界中の植物を蒐集させる航海に出す。この二人の功績により、キューガーデンは世界屈指の庭園になる足場を築いた。

　クック船長のエンデバー号第1回の航海に参加した時、バンクスは弱冠25歳だった。冒険の主な目的は、オーストラリアを発見することで、一行は南米を巡り、タヒチ、ニュージーランドを経由し、ヨーロッパ人として初めてオーストラリア大陸に上陸する。東海岸ではあまりにも沢山の植物が見つかったので、ある場所はボタニー湾（植物学湾）と命名されたほどだ。バンクスはユーカリ、ミモザ、アカシアなどを紹介し、ヤマモガシ科のバンクシア属は、彼の名に因んでいる。9人の同行者のうち、生還したのはたった3人という過酷な航海から帰国すると、ロンドンの自宅に3000種の植物標本や美しい植物画を展示したが、その3分の1は新種だったという。国王夫妻の喜びは如何ばかりだったか。

　バンクスのこの成功は、天才的な植物画家シドニー・パーキンソンによるところが大きい。精密で繊細な植物画と、豊かな表

クック1回目の航海（1768-71年）で
パーキンソンが描いたカンガルーのスケッチ

現力の動物や原住民の絵は、イギリス人の好奇心をくすぐった。シドニー自身は寄港地のバタビアでマラリアに感染し、26歳の若さで客死し、多数の絵と日誌だけが本国に辿り着いている。最初に

右：ストレリチア・レギナエ
（『カーチス・ボタニカルマガジン』1791年）
左：ローザ・バンクシアエ（『同上』1891年）

ヨーロッパに紹介されたカンガルーの絵もその一つだ。

　バンクスは英雄的な植物学者として時の寵児になり、後に沢山のプラントハンターを送り出した。パトロンだったジョージ3世は投資を惜しまなかったので、在位中に7000種の新種が加えられた。王妃シャルロッテ・メクレンブルク゠シュトレリッツに因んでバンクスが命名したストレリチア・レギナエ（極楽鳥花）や、バンクス夫人に捧げられたローザ・バンクシアエ（モッコウバラ）の名前は、新種発見

キューガーデンの大温室
（パームハウス）

キューガーデン内の日本庭園

のロマンに結ばれた王と植物学者の壮大な夢を記念している。

キューガーデンのパゴダ

❖王立植物園キューガーデンの誕生

　1919年に書かれた、ヴァージニア・ウルフの『キュー植物園』（小野寺健訳）を読むと、100年前すでにここが都会のオアシスだったことが分かる。

　「きょろきょろとあちこちを眺めている女は、…野生の花の中に見える蘭や青鷺に目をとめ、中国式の塔と真紅のとさかのある鳥を心にとめる。…

　こうして一組また一組と、…人びとの群れはあの花壇の前を通りすぎて行き、…やがて緑とも青ともつかない大気に溶けこんで、実体も色彩も失っていった。…棕櫚の温室のガラス屋根は、光沢のある緑色の傘が日差しの中でいっせいにひらいたように輝いていた。…鋼鉄でできた入れ子式の巨大な重箱が回転を続けているような音を、この都市はたえず発していた。こういう音を圧するように、さまざまな声がひびき、何万という花の花弁が、大気に向けてその色彩を放った。」

　1820年代にジョージ3世とバンクスが相次いで亡くなり、しばし沈滞していた

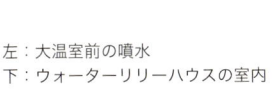

左：大温室前の噴水
下：ウォーターリリーハウスの室内

上：ハーバリウムに保管されるヴィクトリア・アマゾニカの植物画
下：乾燥標本の整理

ヴィクトリア・アマゾニカの植物画に記されたその名を承認するヴィクトリア女王のサイン

第6章 楽園の回復∴プラントハンターと植物園

91

ロンドン国際博覧会のクリスタルパレス（1851年）

キューガーデンは、1841年に初代園長ウィリアム・フッカーが就任すると息を吹き返す。この頃優雅な曲線を描くパームハウスが、イギリス人の憧れ、熱帯ジャングルを再現しようと作られた。リチャード・ターナーが考案した、型鋼とガラスだけで巨大建造物を作る方法と、温水パイプで室温調節する技術が、巨大で美しいガラス温室を生み出し、ついに冬でも花を咲かせる常夏を実現したのだった。

2mの葉と40cmの花を付けるオオオニバスの学名は、ヴィクトリア・アマゾニカ、ヴィクトリア女王に因んで命名された。世界をリードする大英帝国のシンボルになり、誰が最初に花を咲かせるかを園芸家達は競った。1851年には、ロンドン博の会場にガラスの建造物クリスタルパレスが建てられたが、そのファサードのデザインはオオオニバスの葉を模している。

19世紀、植物は富の源泉で、植物園はそれを研究する前線基地でもあった。最早プラントハンターは、ロマンチックな冒険家ではなく、コーヒー、綿花、サトウキビ、タバコ、カカオ、茶などの世界商品作物を戦略的にハントする使命を担っていた。例えば、1876年にはゴムの木の種がブラジルから運ばれ、キューで発芽している。後に苗はスリランカに送られ、ゴムのプランテーションが始まった。

七つの海にプラントハンターを派遣し、英国本土は植物の宝庫、植物界の「ノアの箱船」になっていく。高緯度ながら、メキシコ湾流の温暖な気象条件に助けられ、イギリス人の多種多様な植物への憧れ、パイオニアを称賛する気質が、何世代にも渡る偉業を支え続けている。現在のキューガーデンはその金字塔なのだ。

王立植物園キューガーデン（リッチモンド、サリー州）
Royal Botanic Gardens, Kew

250年の歴史を持つキューガーデンは、テムズ河畔121haに広がる。自然風の巨大な樹木や様々な花壇、珍しい植物を見に、世界中から年間100万人が訪れる。市民の憩いの場でもあるが、本来は権威ある科学的教育機関だ。特に重要なのが、世界中から送られる植物の正確な同定作業。今も変わらず、プラントハンターを派遣し、新種の薬草や植物研究、そして絶滅危惧種の保存も行なっている。

1852年に創設されたハーバリウムは、700万以上に及ぶ植物の乾燥標本を保存し、

植物百科の殿堂になっている。筆者はヴィクトリア・アマゾニカの蕾のアルコール漬け標本と植物画を見せてもらった（一般には非公開）。

また園の建造物は世界遺産に登録され、19世紀の巨大温室や、あちこちに点在する王家ゆかりの建物の他に、小さいが日本庭園もある。1910年の日英博覧会に使われた唐門（材料も職人も日本から呼び寄せた）が移築され、高浜虚子が詠んだ「雀らも 人を恐れぬ 国の春」の句碑がある。遠い異国で見る英国風の日本庭園は、20世紀初め西洋で日本庭園ブームがあったことを伝え、不思議な郷愁を呼び起す（→10章）。

◎ http://www.kew.org/

国立植物園グラスネヴィン（ダブリン、アイルランド）
National Botanic Gardens of Ireland（Glasnevin）

イギリス領だったアイルランドには、半耐寒性植物を馴化（寒さに慣れさせる園芸技術）させるため、コーンウォール半島、スコットランド西海岸に並び新種の外来植物が送られた。馴化した植物は、エディンバラ植物園やキューガーデンに順次移植された。グラスネヴィンの優雅なグラスハウスは、ヴィクトリア女王来園に合わせて建てられたものだ。デヴィット・ムーア園長とその息子は、高名な植物学者で、世界中の植物園や学者とのパイプを築き園の名声を確立した。

当時の高名な種苗業者ヴィーチ園芸商会からも馴化の要望があったが、創立者の曾孫ジョン・グールド・ヴィーチはプラントハンターになった。彼は開港間もない日本に渡るためあらゆる手段を講じ、途中セイロンで海難事故に見舞われながらも、1860年遂に21歳で来日する。まず長崎に滞在、ついで横浜で英国公使ラザフォード・オールコックと親しくなった。二人は富士登山に外国人として初めて参加し、彼は植生分布図を作成している。また江戸の公使館に出かけた時、菊を見かけ「それはロンドンで（フラワーショーに）出品しても決して遜色のないもの」と日記に書き留め、菊の園芸植物としての将来性を予見した。開国前の不自由さにもかかわらず、ヤマユリ、シデコブシ、サラサモクレン、クリンソウ、カラマツ、ヤワラスギなど、英国諸島の庭に今ではなくてはならない植物を持ち帰った。息子のジェイムズ・ハーバード・ヴィーチも日本から、桜の「ジェイムズ・H・ヴィーチ」（「普賢象」か？）を紹介し、イギリスの桜ブームに一役買っている。

◎ http://www.botanicgardens.ie/home.htm

ジョン・グールド・ヴィーチ
（1839-70年）

ヴィクトリア朝の温室

第7章
大地に描くロマンチックな絵画
イギリス風景庭園

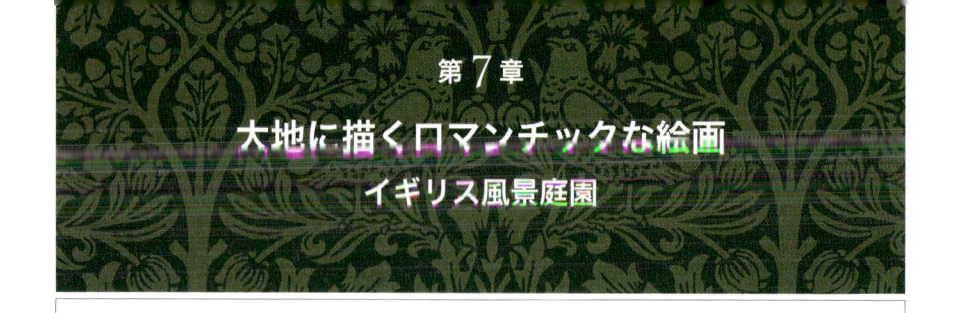

ストウ・ランドスケープガーデンズ、スタウアヘッド
フォンテンズ・アビーとスタドリー・ロイヤル
ブレナムパレス
プライアーパーク・ランドスケープガーデン、バーリーハウス
アム・ドゥ・ラ・レーヌ（フランス）

中国人は西洋で好む規則的で機械的な植栽を軽蔑し、
子供にしか通用しない方法だと言う。
彼らの創造力はより幽かなものを芸術と捉え、デザインに法則を取り入れず、
衆目を感嘆させる優れて卓越した美に達している。

ウィリアム・テンプル著『庭園の美食家』1685 年

❖ フェンスを越えて：ハーハーの登場

　中国への憧れは、大航海時代に遡る。特にヨーロッパ人は、青花磁器の染付け、白地に青模様の虜になった。また温かい飲み物を楽しむ習慣がなかった西洋に飲茶が伝わると、貴重な煎薬として珍重された。喫茶は欧州の王侯貴族の間で最高の贅沢になり、お茶を楽しむ中国趣味(シノワズリー)のティーハウスや部屋が作られた。1670 年に、

右：シノワズリーに深い関心を寄せていたフランソワ・ブーシェ画《中国の庭園》（1748 年頃　ブリンソン美術館蔵）

左：ヘット・ロー宮殿のデルフト焼き（メアリー王女時代のもの）

フランスのルイ14世は、華麗な別邸「磁器のトリアノン」をヴェルサイユ宮園に建てさせている。外壁はすべてオランダのデルフト焼きを使い、青と白のタイルで覆った（この小宮殿はわずか15年ほどで取り壊され、大理石の現トリアノン宮殿に建て替えられた）。高価で希少な青花磁器を真似た陶磁器生産は、各国で試行錯誤を重ねたが、デルフトブルーは当時の人々の驚嘆と熱望を今も変わらず伝える。東洋の影響を受けたクロスカルチャー芸術は、今日私達が知る美しい西洋茶器を生んだ。同時期にコーヒーも伝播し、カフェハウスも流行する。ノンアルコール飲料は女性だけの昼間のお茶会を発達させ、それに相応しいシノワズリーの家具調度品は、女性好みの華麗なロココ様式として、フランス宮廷から欧州に広がっていった。

ジャルディーノ・ディ・ボボリのカフェハウス

誰も東洋の庭園を実際に見た者はいなかったが、明の皇帝に仕えるカトリック宣教師が、東洋には不整形の自然風庭園が存在することを伝えていた。18世紀になると芝居じみたフランス式整形庭園は、確実に流行遅れになる。自然は直線を嫌うから緩やかな曲線で庭を作ってはどうだろう。幾何学に縛られた英国の庭を、なんとか自然風に崩したいと彼等は悩んでいた。

エッセイストで詩人のアディソンは田園風景を引き合いに出し、自然風庭園のアイディアを示唆した。彼は自然の持つ不完全さには喜びがあると、それまでの秩序と完璧を求める美学に一石を投じている。

「もし草原の綾なす自然刺繍に、土地が受付けるだけの小さな芸術品と数列の木と花の生垣を付け足せば、人は所有地に美しい景観を創造できるだろう。しかし、イギリス人の庭師ときたら…、自然に敬意を払う代わりに、そこから出来るだけ外れようとしている。我が国の木は、円錐や球形、あるいはピラミッドの形に聳え立ち、あらゆる木々にはハサミの痕跡がある。」（1712年6月25日『スペクテーター』紙）

新しい芸術を生み出す闘いの先鋒を切ったのは、ロイヤルガーデナーのチャールズ・ブリッジマンだった。フランスの塹壕からヒントを得て、庭を囲む空堀ハーハーを境界線に築いた。

ストウ・ランドスケープガーデンのハーハー

第7章 大地に描くロマンチックな絵画：イギリス風景庭園

95

それは家畜は敷地内に入れないが、壁がないので遠くまで見えるという構造になっていた。小麦畑、牧場の牛や羊、農地で働く農夫の姿、森と川や湖と山が地平線まで広がり、風景総てが庭園になった。さらに青花磁器に描かれた模様からヒントを得て、蛇行した川や道、エキゾチックな塔や華奢な橋を添えた。そして地主達は自らを、アルカディア（ギリシャ神話の桃源郷）の住人に準えた。

　ハーハーという不思議な名前は、境界線に立った人が「はは ぁ」と感心したとも、景色に見とれるあまり濠に落ちて、「ハァア〜！」と叫んだからともいう。とにかく、ハーハーなくしてイギリス庭園はあり得ないほどの大発明だった。

　キューガーデンの元理事ロナルド・キングは、「日本人が庭とその先の景色の同化を果たしたように、我々はハーハーの導入によって、視界のあらゆる障壁を取り除いた」と言う。よくイギリス風景庭園は日本庭園に似ると言うが、日本では手つかずの自然風景を借景するから、よりイタリア・ルネサンス庭園の考え方に近いだろう。イギリス庭園は自然の特性を見極めた上で、人為的に理想風景に変えてしまうので、整形の名残がある。ただし日英両庭園とも、同じ自然風に変わりない。

❖グランドツアーから持ち帰った理想風景

　18世紀のイギリスは、経済・軍事大国になろうとしていた。ところが自国文化には二流意識が強く、ギリシャ・ローマ文化見ずして教養人とは見なさないという風潮が根強かった。そこで高等教育を終えた地主ジェントルマンの子弟は、挙ってフランス、ドイツ、そして古代ローマ帝国の故郷イタリアへと漫遊した。これをグランドツアーと呼び、若者の非常な憧れの的になる。彼等は古代ギリシャの「詩と絵画と庭は一体」というルネサンス庭園の考えに、強いインスピレーションを得た。参考にしたのは前世紀イタリアの風景画（ランドスケープ・ペインティング）だった。それらは自然と廃墟、あるいは田舎をモチーフにしていて、風景庭園（ランドスケープ・ガーデン）の呼称はこれに由来する。

　振り返ると、中世絵画はキリストや聖母マリアを中心に、超自然的世界を表現していた。この世は悪の蔓延する忌むべき場所だから描く価値はないとされ、背景は聖性を表す黄金で塗られた。しかしルネサンス期に入ると、自然も神の創られた被造物だから、神聖だという新しい考えが生まれる。例えば、アッシジの聖フランチェスコの詩『太陽の賛歌』には、それが美しく表現されている。

　　　　　褒むべきかな、わが主よ。すべての被造物により。
　　特に我が兄弟、一日を齎す太陽により。神よあなたは太陽によって光を下さる。
　　　　　その美しさと輝きと、そのすべての豪華さのなかに、
　　　　　いと高きにましますあなたを、何うことができます。

画家ジョヴァンニ・ベリーニは、この情景を《荒野の聖フランチェスコ》の中で見事に表現している。岩山に隠棲した聖人が太陽の光の中に立つ姿は一見自然に見えるが、聖人が全身に浴びる黄金の光には神々しさが宿る。このように画家の感性が自然を通し、超自然の神の姿を映し出すのが、風景画の原点だった。

ジョヴァンニ・ベリーニ《荒野の聖フランチェスコ》
1480-85年頃　フリック・コレクション蔵

　その流れを汲んだ「理想的風景画」がガスパール・プッサンらによって確立する。プッサンの《湖のある古典的風景》では、湖で釣りをする者や鄙びた家、子連れの婦人が理想的牧歌を体現する。これはフィルム・オルネ（装飾的農場）のイメージを育み、フランスで人気を博した。

　英国で圧倒的に好まれたのが、ローマ郊外の穏やかな景色の中に古典文学を表現したクロード・ロランだ。《アポロとメルクリウスのいる風景》には、牛を盗んで逃れるメルクリウスと、そうとは知らずのんびりビオラを奏でるアポロの姿が描かれている。風に揺れる木々や水面に映る橋は穏やかな桃源郷を表し、彼方の夕焼けに煙る廃墟の城

ガスパール・プッサン《湖のある古典的風景》
1658年　スコットランド国立美術館蔵

クロード・ロラン《アポロとメルクリウスのいる風景》
1645年　ローマ、ドーリア・パンフィーリ美術館蔵

第7章　大地に描くロマンチックな絵画：イギリス風景庭園

サルバトール・ローザ《トビアスと天使のいる風景》
1660-73年頃　ロンドン・ナショナル・ギャラリー蔵

は、人生の儚さを叙情的に表現した。

　18世紀後半になると、画家サルバトール・ローザが好まれた。彼は平安な牧歌よりも崇高(サブライム)で畏怖を与える雰囲気を得意とした。彼の《トビアスと天使のいる風景》は、旧約聖書がモチーフだが、人物は添景で、神の圧倒的な力を表すかのように峻厳な山岳が主役になっている。あるイギリス人はアルプスの劇的な風景に出会った時、「断崖、山岳、激流、狼、轟音、サルヴァトール・ローザ！」と感嘆している。グランドツアーがヨーロッパ全体の自然、田園美発見に大きく貢献したが、これには風景画が一役買ったのだった。風景庭園には、ダイナミックさを付け加えるために、グロットー（洞窟）や滝も盛んに作られた（→8章）。

　また、風景庭園内の建築は、アクセントを付ける添景物としてより重要性を担う。

ストウ・ガーデンのロトンドと
王妃の劇場（遠景の建物）
パウル・ブリル画　個人蔵

参考にされたのは、イタリアの建築家アンドレア・パラディオだ。彼は古典建築に心酔し、北イタリアのヴィチェンツァ近郊に膨大な数の建築群（世界遺産）を残している。これはパラディアン建築と呼ばれるが、丸い屋根やギリシャ風の柱が特徴で、最も有名なのが自身の邸だったヴィラ・カプラ（ラ・ロトンダ）だ。

「ラ・ロトンダ」と呼ばれるヴィラ・カプラ

これを真似たロトンドと呼ぶ建築物は、イギリス風景庭園になくてはならないものになる。このようなオーダー（古代ギリシャの列柱）を使った秩序正しいシンメトリーな建築物は、新古典主義と呼ばれた。

❖ 土地の特性に尋ねる：新しいデザイン方法

詩人アレグザンダー・ポープは、風景庭園の特質と作り方をこう示唆する。

> 土地の特性に尋ねれば、
> 水の湧くべきか落ちるべきかは明らかで、
> 野心的な丘は、空の大きさに見合う形に整え
> 渓谷には、円形劇場をあてがうとよい…

つまり、これまでのように地ならしをせず、土地の特性である谷や丘の形を考慮してデザインせよというのだ。世界最古の造園書『作庭記』の著者と目される、平安時代の橘俊綱は、「生得の山水をおもはへて」、つまり自然の風景を思い出しながら作庭すると良い庭が出来ると言っている。一見この日本庭園の造園方法は、ポープの言葉に似るが、本質は少し違う。日本庭園は自然を手本とし、自然の最も美しいエッセンスのミニチュアを造形する。一方、イギリス風景庭園は大地の特性を見極め、それに付け加えて広々とした理想的な空間、言わば自然と人との合作風景を作り出すのだ。

イギリス風景庭園の傑作と言われるストウ・ランドスケープガーデンズは、オックスフォードの北東に位置する。持ち主のテンプル卿はまずブリッジマンを雇いハーハーを作らせ、視界を広げ

るため美しかったパルテルの整形花壇を、惜しげもなく一掃した。また添景にロトンドを置いた。

造園については、この頃からデザイナーと施工者の分業が起こっている。つまりデザイナーは指示だけを出し、実際の作業はナーサリーが請け負うようになった。生涯をかけて個性溢れる庭を作る地主が現れるのは、ちょうどこの時期からだ。

❖ウィリアム・ケント：寓意(エンブレマティック)的な景色を読み解く

言うまでもなく絵画は2次元の世界だ。しかし、庭園は3Dの視点で刻々と変化する景色を作り上げるのだから、不整形であればあるほどレイアウトは難しくなる。これに初めて成功したのが、最初のランドスケープ・アーキテクト（景観設計者）、ウィリアム・ケント（1685-1748）だった。画家を目指しローマで修業したが、資産家のバーリントン卿に出会い、その人脈で数々の庭園を手がけている。ドイツの詩人シラーは、「ケントは芸術によって自然をさらに美化した」と称賛した。

彼が好んだのは、17世紀にローマで活躍した風景画家、パウル・ブリルの牧歌的な廃墟だった。モットーは「自然は直線を嫌う」、つまり蛇行こそが真の美だと考えた。ブリルの《想像上の風景》には、廃墟の流民やボートの釣り人、急流にかかる橋がある。バガボンド（放浪者）が、桃源郷に住まう自由人へと理想化された絵画だ。庭に再現する田園を、フランス語で「フィルム・オルネ（装飾的農場）」と呼ぶが、ケントは絵のように、実際仙人や牧人を住まわせた。

ストウ・ガーデンの東の丘には、ホークウェル・フィールドがある。丘の上にはゴシック神殿と呼ぶフォリー〔添景としての模造建造物〕を配し、羊や牛を放牧し、牧童に世話をさせた。ホークウェルの丘は桃源郷の再現で、ゴシック神殿は中世ゴート人の民主的な自由を称えていた。当時の腐敗した政治を批判し、自由、憲法、啓蒙思想を擁護するという寓意が含まれ、政界を追われた持ち主コブハム子爵の、理念が反映していた。このように暗喩を読み解きながら廻る庭園を、エンブレマティック（寓意）・ガーデンと呼ぶ。

丘を下るとエリュシオンの谷がある。グロットー

パウル・ブリル《想像上の風景》1598年頃
スコットランド国立美術館蔵

ストウ・ガーデン
ホークウェル・フィールド（右）とゴシック神殿（左）

〔軽石などの自然石や貝殻を使った洞穴で、自然の奥深さを表現した〕を起点とした水の流れがあり、ここはギリシャ神話の死後の理想郷だった。ケント好みの蛇行する川はオクタゴン湖へと流れ下る。道すがらは鬱蒼とした木々に囲まれ、訪問者を孤独や瞑想へと誘う。古代徳の神殿やパラディアン建築のロトンドは、グランドツアー仲間をローマの廃墟へ誘っただろう。川を隔てた英国名士の神殿は、蛇行する流れに合わせ半円形で、アルコーブ（胸壁）には16体の胸像がある。シェイクスピア、ニュートン、ポープ等の思考の人、そしてエリザベス1世など時代をリードし、善政を敷いた偉人が選ばれたが、これにも深い政治的な意図が隠されていた。ケントは憂鬱な天才で、眠れぬ夜はロトンドで一人瞑想したという。彼には植物の知識がまったくなかったが、寓意と謎解き、建築物が主題の思想のテーマパークを作るには、さして問題はなかった。

　ストウ・ガーデンでは、敷地に点在する添景が大きな役割を演じている。大地に

ストウ・ガーデン
オクタゴン湖

英国名士の神殿

エリザベス1世の胸像

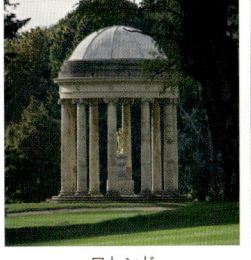

ロトンド

古代徳の神殿

描かれた景色を読み解こうと、哲学者、詩人、王侯貴族が数多く訪れたが、なかでも風景庭園をフランスに紹介した、哲学者ジャン・ジャック・ルソーは有名だ。

ストウ・ランドスケープガーデンズ（ストウ、バッキンガムシャー州）
Stowe Landscape Gardens

　ストウ・ハウスは私立学校なので休み以外は入れないが、庭園はナショナルトラスト所有で、一年中散策出来る。40にも及ぶ添景の建造物を辿りながら園内を歩くつもりならば、たっぷり時間を取りたい。イギリス最古のチャイニーズハウスも修復され、ケントに協力したイタリア人画家フランチェスコ・スレーターの描く、憧れのシノワズリーの世界が見られる。

チャイニーズハウス

　ケントを引き継いで庭園を完成させたランスロット・ブラウンは、八角形の湖を自然風に柔らげ、南側の並木を取り払った。羊が点在する開けた芝生には、堂々たるコリント風アーチが消失点になり、完璧な眺めのヴィスタを作り出している。ストウ・ランドスケープガーデンズは、ブリッジマン、ケント、そして次に述べるブラウンの「重ね描いた庭」と言われ、三巨匠の時代を超えたインスタレーションのコラボが見られる。
◎ http://www.nationaltrust.org.uk/stowe/

スレーターの作品

スタウアヘッド（メア近郊、ウィルトシャー州）
Stourhead

　ローマ時代の温泉があるバース近郊に、ストウと同じように謎解きと寓意を盛り込

スタウアヘッド・ガーデン　左：フローラの神殿、右：パラディアン・ブリッジとパンテオン神殿

んだ庭園がある。スタウアヘッドの庭は、銀行業で財をなしたホーア家3代が情熱を傾けた、イギリス風景庭園の最高傑作と言われる。

　特に2代目のヘンリー2世が大きな役割を演じたが、著名なデザイナーを雇うことなく、みずからギリシャ文学の素養とグランドツアーの経験を生かし、50年余り庭を作り続けた。ラテン文学の最高峰ウェルギリウスの『アエネーイス』に主題を取り、クロード・ロランの絵画に似せ、海に見立てた湖の景色を作っている。「詩と絵画と庭園は三姉妹」という芸術論は、ここに美しく開花した。

　だが古典など知らずとも、湖面に映るパラディアン建築は、自然を身に纏いそれだけで人々を魅了する。18世紀以降は、風景画の影響で自然のままの樹形が神聖視され、落葉樹が好まれるようになった。2世紀を経て木々は遥かに成長し、緑を惜しげもなく投げ出す。邸宅には参考にした風景画が飾られている。ナショナルトラスト所有。
◎ http://www.nationaltrust.org.uk/stourhead/

フォンテンズ・アビーとスタドリー・ロイヤル
（リボン近郊、ノースヨークシャー州）
Fountains Abbey and Studley Royal

　もし、一つだけイギリス風景庭園を選べと言われれば、筆者はこの庭にするだろう。美しいヨークシャーの谷間に佇むフォンテンズ・アビーは、中世に栄えたシトー会派のカトリック修道院だった。ヘンリー8世の修道院解体によって廃墟になったが、敬虔なカトリック信者によって2世紀もの間守られた。

　南海泡沫事件という政治スキャンダルで公職を追われたジョン・エーズラビーは、後半生を懸けてここに素晴らしい庭を作ろうと決心する。スタドリー・ロイヤルは、父ジョンの作った半整形の風景庭園だ。そこに息子のウィリアム

フォンテンズ・アビー

スタドリー・ロイヤルの月の池と信仰の神殿

が、フォンテンズ・アビーの敷地を買い足し、見事なピクチャレスク*庭園を完成させた。親子が作ったゆるやかな整形式と自然風のブレンド庭園の美しさは、世界遺産のアビーが本物であることから崇高さを増し、訪れる者を敬虔な気持ちにさせる。ナショナルトラスト所有。

◎ http://www.fountainsabbey.org.uk/

* ピクチャレスク（→ 8 章）：18 世紀末にギルピンが提唱した風景美学で、荘厳で崇高、荒涼たる美しさを形容する。以下に説明するケイパビリティー・ブラウンの確立した、穏やかで静かな景観美学への挑戦でもあった。

❖ ケイパビリティー・ブラウン：イギリス全土は我が庭

　ランスロット・ブラウン（1716-83）は、18世紀後半に活躍したランドスケープ・アーキテクトで、170以上もの庭を手がけた。北イングランド出身で、庭師の弟子から身を起こしている。彼の息のかからないカントリーハウスを探すのは難しいくらい人気を博した。グランドツアーの経験もなく、ギリシャ・ローマの古典にも精通していなかったが、目に快い森や湖、川や丘を作る天賦の才能を与えられた。ブラウンにとって庭園は、教訓や思索の場所ではなかった。家族でピクニックに出かけられる、穏やかで美しい理想風景だったのだ。

　クライアントの敷地を一見すると、自信満々に「There are great capabilities here. 素晴らしい可能性がございます」というのが口癖だったため、ケイパビリティー（可能性）・ブラウンとあだ名がついたほど楽観的だった。外国での庭作りを頼まれた時には、「まだイギリスにやり残した場所がある」からと断わったという。彼こそが南イングランドの山野を作ったとまで言われる所以だ。

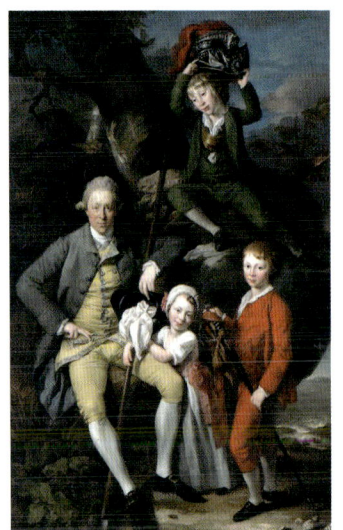

　ブラウンのもっとも大切な要素の一つは水辺

自然を背景に描かれた肖像画

左：ヨハン・ゾファニー《タイセグストンのヘンリー・ナイトと三人の子供》1770年頃　ウェールズ国立美術館蔵
右：トマス・ゲインズバラ《アンドリューズ夫妻》1748-50年頃　ロンドン・ナショナル・ギャラリー蔵

だった。そのためには、膨大な人力を使って湖を掘らせ、運河を作る仕事も厭わなかった。つまり、彼の脳裏に描かれる理想的風景を作るために、大地を掘り山を積んだ。土地の特性を活かすというポープのアドバイスは二の次になったが、どこにヴィスタを開き森と水辺を据えるべきか、あるいは近景と遠景の配置などに、彼ほど長けた人物はいなかった。自然にしか見えないブラウンの作り出した景観は、彼の故郷に何処か似ていると言う。

ランスロット・ブラウン

　イギリス議会が共有地の囲い込みを認めたため、地主ジェントリーや大土地所有者が広大な土地を手に入れたことも風景庭園の追い風になった。ブラウンは特権を最大限に使い、ヴィスタのため景観を損なう村を取り壊すことも厭わなかった。またイギリス人が大好きな花園を取払い、緑の芝生に一変した。キッチンガーデンや花園は壁で囲み、邸の陰や離れた場所に移転させたから、後世の評価は芳しくない。

　しかし、1740年代から「ピクニック」という言葉が使われ、夏は屋外で楽しむことが多くなり、健康のため散策や乗馬も盛んになったこの時代は、理想的山野の風景を欲していた。この頃から家族の肖像画は、自然を背景に描くのが流行し、ブラウンの風景庭園は必須アイテムのようになる。

ブレナムパレス（ウッズストック、オックスフォードシャー州）
Blenheim Palace

　マールバラ公爵家の居城であり、20世紀の政治家ウィンストン・チャーチル元首相の生家でもある。8 km²の敷地に公園と庭園が広がり、バロック建築の巨匠ヴァンブラが建てた、威風堂々たる居城を抱く。

　ブロンプトンパーク（→5章）のヘンリー・ワイズが手がけた巨大整形庭園を、ブラウンは見事に自然風にアレンジし、風景庭園の代表作に作り替えた。邸館前の池に架かるヴァンブラ作の巨大な橋は、川幅の狭いグリム川に釣り合わないと感じ、川を堰き止め湖にした。橋をへだてて出来た湖には、ポプラの並ぶエリザベス島を浮かべた。橋脚はかなり沈んだが、お陰で橋と水と島のバランスが絶妙になり、豪奢で華麗な邸館が手招きするような景観を作り出した。

　また、湖から川に、あるいは川から湖に落ちるよう設計されたいくつかの滝も見所だ。ブラウンを雇った4代マールバラ公爵は、水の音とその姿によって、サルバトール・ローザの荒涼とした情景を狙ったという。滝の前には、優雅なチャイニーズ・ブリッジが

ブレナムパレス　左：女王の池（左奥がヴァンブラの橋）、右：噴水のパルテルから湖を眺める

架かり、水流を身近に体感できる。

　ブレナムパレスの邸館内を見物すると、豪華さに圧倒されるとともに、装飾過多に疲労感を否めない。水をふんだんに使ったグレート・パルテル越しにブラウンの自然風の湖を見る時、イギリスの富と権勢に酔いながらも疲弊していく心を、風景庭園が癒す役目を担っていたように筆者は感じる。
◎http://www.blenheimpalace.com/home_japanese.html

プライアーパーク・ランドスケープガーデン（バース、サマーセット州）
Prior Park Landscape Garden

　ブラウンと詩人のアレグザンダー・ポープのアドバイスで、企業家のラルフ・アランが作った庭園だ。ウィルダーネスと呼ぶ人口の森、蛇行した湖、滝、小さな小屋を見ながら坂を上ると、バースを一望する丘にたどり着く。
コンパクトなブラウン風の珠玉の庭園だ。丘の上から谷

プライアーパーク・ランドスケープガーデン　左：ウィルダーネス、中：丘からバース市内を望む
右上：ラルフ・アランに扮したガイド、右下：パラディアン・ブリッジ

底への傾斜を利用して作られたパークからは、18 〜 19 世紀に保養地として栄えたバースの街並みが見渡せる。

　ケントの影響でペンブローク卿によって設計されたパラディアン〔イタリアの建築家アンドレア・パラディオに影響された建築の総称で、古代ローマ建築を手本にしている〕橋は、ストウ等に 4 つ現存するが、この橋は唯一通り抜けが出来る。喧噪から逃れ、ローマ時代から続くバースの歴史に思いを馳せるのもいいだろう。邸館は学校なので入れない。庭はナショナルトラスト所有。
◎ http://www.nationaltrust.org.uk/priorpark/

バーリーハウス（スタムフォード、リンカンシャー州）
Burghley House

　森も含むと約 800ha の風景庭園に抱かれたバーリーハウスは、エリザベス 1 世の大蔵大臣だったウィリアム・セシル卿の館だった。トラディスカント父子所縁のハットフィールドハウス（→ 4 章・6 章）は息子ロバートの館だ。

　筆者が訪れた時は「この邸を飾っていた美しいパルテルは、1756 年にケイパビリティー・ブラウンによって一掃されました」と説明があった。花を愛する国民性のため、ブラウンは現代ではあまり人気がない。堂々とした邸館の前面が芝生だけで物足りないかもしれないが、周囲に広がる長閑なブラウンタッチの風景は、開放感を与え、複雑な作りの邸と好対象で素晴らしい。

　バーリーハウスの当主が代々蒐集したルネサンス、バロック様式のイタリア美術、そして中国の磁器、日本の漆器などのユニークな収蔵品は、個人コレクションとしては最も多岐に渡る豪華なものとして有名だ。

　余談だが子孫の第 6 代エクセター侯爵は、オリンピックのハードル選手で、映画『炎のランナー』にも登場した。邸には彼の肖像画やメダルが飾ってある。また映画『プライドと偏見』では、主人公の恋人ダーシーの叔母の邸館として登場した。現在はバーリーハウス保存トラストの管理。
◎ http://www.burghley.co.uk/home

バーリー・ハウス　左：邸館の正面、右：ケイパビリティー・ブラウンの風景庭園

アム・ドゥ・ラ・レーヌ（ヴェルサイユ、フランス）
Hameau de la Reine

　イギリス風景庭園は、ヨーロッパ大陸でも評判を呼び、ロマン主義＊の台頭とともに自然風の庭園に作り替える人々が現れ、Jardins Anglo Chinois（英語でアングロ＝チャイニーズ・ガーデン）と呼ばれた。

　ヴェルサイユ宮殿のプチ・トリアノンには、ルイ16世の王妃マリー・アントワネットのためにアム・ドゥ・ラ・レーヌ（女王の小村）が作られた。典型的なフィルム・オルネ（装飾的な農場）で、一見森に潜む幻想の村のようだ。蛇行した散歩道や、水鳥が遊ぶ湖が作られ、ロマンチックなプッサンの風景画を演出している。女王のコッテージを中心にいくつかの家屋があり、当時は牛乳や卵を女王のために生産し、許可なくば王さえも入村出来なかったという。

シュミーズドレスに麦藁帽子、「田舎風」ファッションのマリー・アントワネット
（ヴィジェ＝ルブラン画　1783年頃　ワシントン・ナショナル・ギャラリー蔵）

　ストウの庭も訪れたジャン・ジャック・ルソーの、自然回帰の思想に影響され、ヨーロッパ大陸の貴族に流行したフィルム・オルネとアングロ＝チャイニーズ・ガーデンは、贅沢な生活を変えはしなかったが、後の華麗で装飾的な田舎家のデザインに影響を与えた。ファンタジックな農家群は、まるで御伽の国のよう。

◎ http://jp.chateauversailles.fr/jp/marie-antoinettes-estate

＊ロマン主義：18世紀末から19世紀、古典主義に反し、感情・個性・自由を尊重。自然との一体感、神秘性への憧れを表現した。

ヴェルサイユ宮殿プチ・トリアノンの
アム・ドゥ・ラ・レーヌ

第8章
ピクチャレスクとガーデネスク
リージェンシー・ロマンスと花園の復活

ライダル・ホール、シェリンガム・パーク
アッシュリッジ、イラム・ホール、ダブデール
ティッシントン、トレヴィゼン・ガーデンズ
マルメゾン城（フランス）
英国王立薔薇協会ガーデン

谷また丘のうえ高く漂う雲のごと、
われひとりさ迷い行けば、
折しも見いでたる一群の
黄金色に輝く水仙の花、
湖のほとり、木立の下に、
微風に翻りつつ、はた、踊りつつ。

❖『水仙』：ウィリアム・ワーズワスの詩

これは19世紀の最も優れたロマン派詩人ワーズワスの『水仙』（田部重治訳）の冒頭だ。凛として透明な空気の中、陽光に輝く黄色い花が幾千と連なる光景が目に浮かぶ。湖水地方の心躍る春の訪れを見事に描いた彼は、自然と共に生きることこそ真に人間的だと詠った。後年、桂冠詩人〔イギリス王家の慶弔の詩を詠む人の称号〕に任命され、英国人の自然再発見に大きな影響を与えている。

❖ピクチャレスク：荘厳で崇高な風景

18世紀末には、自国の自然を探訪するピクチャレスク・ツアーがイギリスで始まり、自然や田舎を愛でる気運が生まれていた。

ピクチャレスクは、イタリア語のピットレスコに由来している。もともとは前章で紹介した画家、クロード・ロラン、サルバトール・ローザなどが提唱し、自然を描く時の構図や配置を意味した。しかし、イギリス人ウィリアム・ギルピンは、荒涼たる自然と不規則なアウトラインの廃墟が織りなす陰影をこう呼んだ。旅行者に風景の見方を教え、審美眼を養うよう勧め、自然への崇敬と素朴な中世への回帰を

促すようになる。産業革命による急速な近代化、都市化への漠然とした不安と表裏一体の流行で、このツアーは時とともに盛んになっていく。

ピクチャレスクは、ケイパビリティー・ブラウンの穏やかで牧歌的な景観への挑戦でもあった。前章で述べたフォンテンズアビー・ガーデンのような景観を、崇高（サブライム）と呼び、畏敬の念を抱かせる理想風景とした（→7章）。

ワーズワースの情感から連想する神秘的なイメージは、この美学を見事に代弁している。

> …とどろく滝は恋情の如くわれにつきまとい、
> 聳え立つ岩石、山、深き暗き森、
> その色彩も、形も、われにとりては熱望なりき。
> …そは落日の光の中と、円き大洋と、生ける大気と、
> はた蒼き空と人間とを住家として、
> 遥かに深く浸透せる或るものの崇高なる感じなり。…
>
> 『ティンタン寺より数マイル上流にて詠める詩』（田部重治訳）

19世紀の美学は、不規則で幻想的な建築物を生み出した。建物ももはや左右対称ではなくなり、アシンメトリーなネオ・ゴシックが流行する。

ライダル・ホール（ライダル・ウォーター、カンブリア州）
Rydal Hall

ライダル・マウント（→9章）のすぐ側にあるライダル・ホールは、ワーズワースの大家さんの家だった。ロザイ川の谷間にある美しいライダル村にあり、自然滝を利用したピクチャレスク庭園になっている。屋敷前はイタリア式整形庭園、中景はブラウン風の風景庭園、そして周囲の自然林へと繋がる。敷地内にはピクチャレスク・ツアーの人気スポットだった下滝があり、まるで巡礼地のように賑わっていた。下滝を見るために、最良のス

ライダル・ホール　右：ピクチャレスクの下滝とサマーハウス
　　　　　　　　　左：コンスタブルのスケッチ（1806年）

ライダル・ホール
左：館は静かな保養施設
右：イタリア庭園の後方に広がる森と山々

ポットにサマーハウスが建っていて、風景画家ジョン・コンスタブルもスケッチを残している。現在ライダル・ホールは、キリスト教系の保養施設として人気がある。
◎ http://www.rydalhall.org/

❖ 花園の復活：ハンフリー・レプトン（1752-1818）

　全国にブラウンの風景庭園が溢れると、人々は変化と荒々しさがなく規則的過ぎると批判し始めた。不意打ちの驚きや発見があってこそ庭園は面白味があるし、地方色も活かすべきだと彼らは考えた。そんな時代のニーズをランドスケープデザインに取り入れたのが、ハンフリー・レプトンだった。庭は風景画のように前景、中景、後景が必要だと考えた。最も人の視線に近い前景は芸術の領域であり、建物を

右：レプトン本人のコッテージの庭
改造前（上）と改造後（下）
レプトン著『風景庭園の理論と実践に関する断章』
（1816年）より

左：「レッドブック」より、改造前の庭園図（上）と折り返しを開いて現れた改造後の図（下）

第 8 章　ピクチャレスクとガーデネスク：リージェンシー・ロマンスと花園の復活

ハンフリー・レプトン

飾る幾何学模様や装飾的な植え込みがあってもよいとした。中景はブラウン風の風景庭園を取り込み、さらに後景には野性味ある「自然」を残した。ここに近代イングリッシュガーデンの基本形が出来上がり、レプトンは英国庭園の父と呼ばれる。

　彼の経歴は一風変わっていた。織物商の修行のために、12歳でオランダに行ったが成功せず、傾いた家計を立て直すためランドスケープ・デザイナーになった時は中年に差しかかっていた。起死回生に一役買ったのは、「レッドブック」というクライアント向けの庭園改造計画図だった。立派な赤いモロッコ皮表紙の装丁には、得意な水彩画が描かれた。改造ビフォアーの絵の一部を折り返すと、アフターが現れるようになった見開きの計画図は、全部で400冊にも及んでいる。生涯に200近くの公園や庭園を手がけたが、ケイパビリティー・ブラウン監修の庭が、数十年を経て改修の時期だったことは幸運だった。

　レプトンは快活で穏やか、明るい気質の人物だった。彼の手にかかると、荒涼たるピクチャレスクのイメージは、光ある夢の世界に転じた。ブラウンのおおざっぱな景色に面白味と趣向を加味するのが得意で、「レッドブック」のアフターには、家族が木陰で涼をとりつつ食事をしていたり、楽しそうに散策している姿が描かれた。季節や時間の移行に伴う光の価値を、彼はとても重要視した。

　レプトン人気には2つの理由がある。まずは木立や生垣で隠された花園を復活させ、巡回して楽しむために様々なテーマの連続する小庭を作ったことだ。次に、有用性と美を結びつけた。例えば、出入りを自由にするため、テラスやベランダを1階に作り欄干を復活させた。エレガントな鉄製工芸品を多用し、家と庭とに繋がりを持たせた。またブラウン手法では、馬車から降り立ったとき芝生で足がぐっしょり濡れたが、家の前には砂利を敷き、雨でも足下が乾くようにした。もう芸術のために不便を強いられる必要はなかった。中景や遠景には

造園のために測量中のレプトン（レプトン原画による版画　1788年）

羊飼いのコッテージを配して、高い煙突から煙を燻らせ、暖かみのある牧歌的修景を演出した。もはや難しい隠喩は存在しなかった。

　快適な生活をするための庭作りがモットーで、1811年に不幸にも馬車で横転し車いす生活を強いられるようになると、さらに精力的に庭園の便利さを追求した。これまで風景を損なうからと遠くにあったキッチンガーデンを、屋敷のすぐ側に復活させ、車いすでも収穫ができるアーチ型果樹や、煉瓦を腰の高さに積んだイチゴ花壇を考案している。これらは、最初のバリアフリーガーデンだった。

　ノーフォークシャーのエルシャムという町には、レプトンの眠る教会があり、墓碑銘にはこう刻まれている。

<blockquote>
聖別され他と分たれたエジプト専制君主とはことなり
我が塵はここに留まる
地に埋もれ 地に混ざり やがて溶け行く
塵は薔薇色の形を贈り
その艶やかな花花は人の喜びに
その心地よい香気は 天に昇り行く
</blockquote>

　これまでのランドスケープ・アーキテクトとは異なり、イギリス的な園芸家の資質、花を愛する心をレプトンは備えていた。彼の「レッドブック」は色彩豊かな庭を復活させ、花園の絵画というジャンルをも生んでいる。

シェリンガム・パーク（シェリンガム、ノーフォーク州）
Sheringham Park

　北海に面する北ノーフォークのシェリンガムを、レプトンは「お気に入り、最愛の我が子」と呼んだ。鬱蒼と茂るシャクナゲの道から松林の尾根に抜けると、「レプトンのシート」と呼ぶ場所に出る。ここからは、彼の設計したシェリンガム・ホールの屋根が針葉樹の向うに見えた。さらに進み、丘に聳えるロトンドから屋敷を眺めると、牧場の遙か先に水平線が空と海とを分ける。レプトンが愛した故郷は、とてつもない広さで眼前に開けた。ピクチャレスクの精神は、庭が限りなく自然に溶けこみ、自然は人を懐に抱く。人は庭園のそして、自然の一部であると感じさせる。

　シェリンガム・パークは、ナショナ

ロトンドからシェリンガム・ホールを眺める

シェリンガム・パーク
左：「レプトンのシート」からの眺め
右：広々とした牧場

ル・トラスト所有。20世紀の有名なプラントハンター、アーネスト・ウィルソンが持ち帰った80種ものシャクナゲが咲き競い、冬から春にかけて緑の森は極彩色に変化する。ホールは個人所有で入館できないが、遠くから眺めるのも一興。かなり歩くので健脚向き。

◎ http://www.nationaltrust.org.uk/sheringham-park/

アッシュリッジ（バークハムステッド、ハートフォードシャー州）
Ashridge Estate

　アッシュリッジは、修道院として発達し、後にはヘンリー8世の御猟場になった。広大なアッシュリッジの森には、野生の鹿がゆったりと遊ぶ。レプトンが最晩年に手がけた傑作の一つだ。すでに車いす生活だったので、特に前景に力を入れ、「私の老いと弱った体の我が子」と呼んでいる。

　ネオ・ゴシック様式の堂々としたアシンメトリーな建物は、ジェイムズ・ワイヤットによって19世紀に建てられた。修道士の庭、ローズガーデン、イタリアンガーデンなど、15種類の小庭に分けられ、不規則でゆったりとした周遊路が、屋外の部屋のように庭園を廻る。レプトン以後、スペースが許す限り様々なタイプの小庭を考案し、変化ある庭を作るようになり、英国の庭園はより複雑化多様化し始める。ケイパビリティ・ブラウンは、芝生、水、木という自然素材を得意としたが、再び幻想的な廃墟やフォリー、グロッ

レプトンによるアシュリッジ・
ローズガーデンのデザイン画（1813年）

アッシュリッジ
ネオ・ゴシックの建物

修道士の庭

ローズガーデン

シデ科植物で作った四阿

グロットー

鄙びたサマーハウス

イタリアンガーデン

ガーデネスク風の
アイランド式花壇

トーが流行したので、アッシュリッジにもグロットーが作られた。
　国際ビジネススクールなので、建物内部と周囲の庭園の見学は特別許可が必要。しかし、庭園を囲むアッシュリッジの森はナショナル・トラスト所有で、いつでも散策できる。遠くからゴシックの屋敷と庭園を眺めるだけでも、十分楽しめる。
◎ http://www.nationaltrust.org.uk/ashridge/

第8章 ピクチャレスクとガーデネスク：リージェンシー・ロマンスと花園の復活

❖ リージェンシー・ロマンス：ジェーン・オースティンのピクチャレスク

　18世紀終わりからヴィクトリア女王の即位(1837)までを、文化的な観点からリージェンシーと呼ぶ。女流作家ジェーン・オースティン（1775-1817）のウィットに富んだ会話や様々な人間ドラマは、リージェンシー・ロマンスと呼ばれ、世界中で愛され、映画やテレビドラマにもなっている。彼女の生涯は、ピクチャレスクが隆盛を極めた期間と重なっていて、当時の庭園や自然観を知ることが出来る。彼女の叔父は、実際にハンフリー・レプトンのクライアントで、小説『マンスフィールドパーク』にはその逸話が載っている。

　ここでは小説『高慢と偏見』を見てみよう。主人公エリザベスは、ダービーシャーへピクチャレスク・ツアーをした。もともと湖水地方へ行く予定だったが、叔父の都合で近場のピーク・ディストリクトへ変更したという設定で、オースティン自身が、叔父夫妻と出かけたダービーシャーへの旅が活かされている。

　「ペンバリーの館は谷の反対側にあり…大きくて美しい石の建物で、盛り上がった土地にしっかりと建ち、後ろには高い森の丘が控えていた。また、屋敷前の流れは、自然美の重要性を雄弁に物語り、まったく人工的な感じがしなかった。その岸辺は規則的でもなく、不似合いの装飾も施してなかった。エリザベスは嬉しかった。彼女は自然がこれほどの手並みを披露し、自然美がこれほど悪趣味によって大なしにされなかった場所を見たことがなかったからだ。」

　「エリザベスは、景色を楽しむべく（館内の）窓際に行った。森を頂いた丘陵地が、遠くから不揃いさを増しながら下降する様は美しく、土地の配列はどこをとっても良かった。全体を見渡すと、川、その岸辺に散在する木々、そして蛇行する谷、目で追えるかぎりの総てが喜びだった。次々と部屋を進むごと、それらの添景は位置を変えたが、あらゆる窓から自然美を観賞出来た。」　　（『高慢と偏見』43章より）

　エリザベスが気になる相手ダーシー氏のペンバリー屋敷は、ダービーシャーに

リージェンシーのピクニック風景

あった。叔父夫妻と訪ねたところ二人は鉢合わせし、恋の行方は急展開を迎えるが、クライマックスでピクチャレスク庭園が使われている。後に、求愛を受け入れた決め手は、見たこともないほど美しい庭園が彼の屋敷にあったからと妹に告白していて、作者自身がピクチャレスクに深い思い入れがあったことを物語るようだ。

❖田舎暮らしへの憧れ：映画『いつか晴れた日に』から

　ベルリン映画祭で金熊賞を受賞した『いつか晴れた日に』は、ジェーン・オースティンの小説『分別と多感』をベースにしている。イギリスの女優、エマ・トンプソンが脚本を書き主演した他、『タイタニック』で一躍有名になったケイト・ウィンスレットが多感な次女役を好演した。主人公エリノアは、父の死によって大邸宅を追われ、叔父の領地にあるフィルム・オルネのコッテージに住むことになるのだ。恋しいエドワード（ヒュー・グラント）は、ロンドン上流社会の格式張った贅沢な生活より、田舎でのんびり暮らす方がずっといいと言う。

　ジェーン・オースティンは、当時の「コッテージ崇拝」を上手く取り入れ、鄙(ひな)びた雰囲気の方が、旧態然とした高級趣味よりずっとロマンチックという時代の趨勢を描く。小説では恋人の弟はこう話す。「僕は、すぐに全部（有名な建築家の設計図）を暖炉の火に投げ込んでこう言ったんです。『カートランド卿どれもだめです、とにかくコッテージを建てなさい。』」田舎暮らしはリラックスした格式張らない生活の代名詞で、憧れのライフスタイルになっていた。もっとも彼の話すコッテージは、上流好みの趣向を凝らした贅沢な作りだったのかもしれないが。

　映画では主人公エリノアのコッテージは、小高い丘の草原に埋もれそうな鄙びた家だ。三女のおてんばマーガレットは、追い出された大邸宅で豪華なツリーハウス（樹上の家）を持っていた。代わって楽しんでいるのは、家の前の質素なツリーハウスで、彼女はそこでも七つの海を廻る冒険の旅を夢見る。女性も社会に進出する時代が来ようとしていた。また叔父の家のパーティーでは、人々がボウリング・グリーンでローン・ボウリングに興じている（→4章）。楽しそうなピクニックの場面もあり、リージェンシーの上流社会に広がりつつあった自然志向が美しい映像で表現されている。

イラム・ホール（イラム、スタッフォードシャー州）
Ilam Hall

　ピーク・ディストリクトは、イギリスのほぼ中央部に位置し、丘陵地が続く風光明媚な所で、ピクチャレスク・ツアーの人気スポットでもあった。
　『高慢と偏見』のモデル庭園を探すとすれば、ダブ渓谷(テール)の側にあるイラム・ホールが

イラム・ホール　邸館とイタリアンガーデン

いいかもしれない。やや複雑なネオ・ゴシックの屋敷は、森を背景にした丘に佇む。前景のイタリア庭園から眺めると、美しく連なる丘には、急斜面で草を食む牛や羊が見える。遠くの村の煙突から煙がゆるやかに昇り、森と岸壁、谷底の川に陰影が浮かぶ様は、ギルピンが提唱した「不規則で複雑、多様性のある場所には、陰影のコントラストが強い」というピクチャレスク風景が見られる。

　ホールはユースホステルなので見学出来ないが、イラムパークはナショナルトラスト所有の公園だ。近くに Ilam Cauldwell Bridge circuit という散策路の起点もある。エリザベスが小説中で散策したような景色に出会えるはずだ。

◎ http://peakdistrict.nationaltrust.org.uk/ilam-hall

ダブデール（ダブ渓谷、スタッフォードシャー州とダービーシャー州の州境）
Dovedale

　小説中でダーシー氏は叔父を庭園内の川に釣りに誘うが、その水辺がとても自然なのをエリザベスは喜んだ。イラムに隣接するダブデールにあるミルデール村には、『釣魚大全』を書いたアイザック・ウォルトン（→ 4 章）が好んで釣りをした場所もあり、近くの丘に登るとピーク・ディストリクトのピクチャレスクの真髄に触れることができる。

◎ http://peakdistrict.nationaltrust.org.uk/dovedale

ピーク・ディストリクト

ティッシントン（ティッシントン、ダービーシャー州）
Tissington

　ダブデールを越え、東にしばらく行くとティッシントン村がある。春にウェル・ドレッシングという、花で描いた絵を泉に飾るお祭りで有名だ。中世にペストが流行したとき、湧き水が豊富だったこの村は壊滅を免れた。喜んだ村人は神様の御加護に感謝し、キリスト昇天の日から 1 週間この祭りを始めることにした。村の 6 つの井戸に等身大の花の聖画が飾られ、観光客で賑わう年中行事は、650 年以上も続く。村の佇まいは、どこを取っても一服の風景画のような荘園村だ。

◎ http://www.derbyshireuk.net/tissington.html

ティッシントンの
ウェル・ドレッシングの祭り

❖造園家たちの庭：ガーデネスクの旗手ジョン・クラウディウス・ラウドン

　19世紀に入るとピクチャレスクに並行して、ガーデネスクという園芸の気運が高まっていた。その旗手となったのがジョン・クラウディウス・ラウドン（1783-1843）だ。
　彼は欧州の植物学者や著名な庭園はたいてい訪れ、様々な知識を吸収し、1826年に、英国で最初の園芸雑誌『ガーデナーズ・マガジン』を創刊し、あらゆる園芸の知識とガーデニング哲学を次々に紹介した。イギリスの庭園が園芸家の業を駆使する植物天国に変わる決定的な役割を彼は演じ、大農場を経営する大貴族から、ロンドンの小区画にあるタウンハウスまで、あらゆる人々の興味を啓発する。彼は常に新しい知識と工夫を怠らず、新たな植物を導入し育てることを奨励した。これは自己修養を最良の美徳とするヴィクトリアン精神の先駆けで、ラウドンに続く多くの園芸家、植物学者、ガーデンデザイナー、農場経営者、果ては小さなコッテージに住む村人までをも巻き込んでいく。つまり、英国民をネーション・オブ・ガーデナーに教育した張本人が、ラウドンだった。
　彼がもっとも親近感を持ったのは、産業革命によって生まれた中産階級の別荘だった。彼等の中規模庭園には、遥かな異国から次々と運ばれるエキゾチックな植物を、一つ一つ独立させて植えることを薦めた。あらゆる角度から個別に観察できるよう、芝生の中に丸く切り込んだアイランドという花壇を奨励している。また北アメリカや極東の針葉樹で構成される森を、庭の外れに作るよう薦めた。それらは十分な間隔を空けて植えられたので、自生地よりも大きく立派に育った。広々とした芝生に1本だけ

上：アイランド式花壇のあるデヴォンシャー州シドマスのコッテージ。1830-40年代の『ガーデナーズ・マガジン』には、この様な庭の紹介が数多く載っていた。

トレヴィゼン・ガーデンズ　19世紀以来コーンウォールに根付いた極東の植物シャクナゲ（左）と椿（右）

第8章　ピクチャレスクとガーデネスク：リージェンシー・ロマンスと花園の復活

119

初期のウォーディアンケース

聳えるレバノン杉やチリ松は、この時代の素晴らしい遺産だ。

だがその流行は過渡的だった。ウォーディアンケース〔1829年に発明された初期のテラリウムで、これによって、長い船旅で枯れていた植物の生存率が抜群に高くなった〕のお陰で、驚くほどの新種が紹介され、植える場所を求め森は切り開かれた。椿やモクレン、シャクナゲ等のエキゾチックな花木が、針葉樹に取って代わる。

1804年には、ロンドンに園芸協会（後の王立園芸協会）が発足し、後に世界の花の祭典となるチェルシー・フラワーショーは、1833年から始まった。人々は抱えきれないほどの植物を次々に紹介され、洋服を着替えるように年々流行は変わり、様々なディスプレイが考案された。

また、園芸家ウィリアム・コベットは、『イングリッシュ・ガーデナー』という本で菜園の喜びを紹介し、作物が間近で育つのを見るのは、実用性以上のものだと説いている。これは生活が便利になればなるほど、人は素朴な生活に憧れることを示す。七つの海から送られる植物を享受する大英帝国の内側から、大地を耕す大切さが見直され始め、在来の野菜やハーブの観賞的価値が認識されたのは興味深い。

▌トレヴィゼン・ガーデンズ（トゥルーロー近郊、コーンウォール州）
Trewithen Gardens　　　　　　　　　　　　　　　　　　　［写真は前頁］

　18世紀の初めに建てられた屋敷と、その後280年も守られた素晴らしい庭園が広がる。コーンウォールは他地域と違い、酸性土壌が多くモクレンやシャクナゲ、ツツジ等極東の植物がよく育つ。また温暖なので、植物の馴化にも最適だった。

　トレヴィゼンでも19世紀に沢山の外来種が植えられ、現在イギリスで最も大きな樹木と認定された木が24本も残っている。日本産のコブシやミツデカエデもあり、高木で美しいモクレン、薄桃色のマグノリア・キャンベリーは、英国一幹が太いという。春浅い冷え冷えとした空気の中で、日本人に馴染み深い花々が一斉に咲き競う様は息を呑むばかりだ。イングリッシュガーデンの植栽方法は、植物を介したクロスカルチャーという大きな役割を持っている。

◎ http://www.trewithengardens.co.uk/home

❖ナポレオン皇后ジョセフィーヌの情熱：ルドゥテの『薔薇図譜』誕生

　18世紀の終わりにカルカッタの植物園で、チャイナローズ（コウシンバラ）が見

マルメゾンのジョセフィーヌとナポレオン
ヴィガー・デュ・ヴィニョー画　1867年頃　マルメゾン城美術館蔵

ローザ・ノワゼッティアナ
ルドゥテ『薔薇図譜』（1817-24年）より

セーブル磁器のデザート皿
マルメゾン城美術館蔵

チャイナローズ

マルメゾン城の庭園

つかると、早速本国に運ばれ品種改良が始まった。

　古来西洋で薔薇は特別に愛されたが、一期咲きがほとんどで、花首が短く多花性ではなかった。ところが東洋の薔薇は、多花性の強健な性質を備え、しかも四季咲きだったから、瞬間に品種改良のブームが起こる。

　最も薔薇に情熱をかけたのは、ナポレオンの皇后ジョセフィーヌだった。彼女はパリ郊外のマルメゾン城に、あらゆる新種の薔薇を集めようとした。交戦中のイギリスから特別許可をとり、新品種を輸入したほどだ。皇后の意向でアンドレ・デュポンや他の育種家が人工授粉を取り入れ、多数のフランス産新品種も作出された。1814年に薔薇の品種は180足らずだったが、19世紀半ばには3000種を数えるほどに膨れ上がった。ジョセフィーヌの薔薇は、ブルボン種、あるいはノワゼット種と呼ばれ、ハイブリッドティーが生まれる以前のオールドローズで、香りが良くエレガントな花弁をし、しかも四季咲き性を備えている。

　皇后に仕えた植物画家ルドゥテが、マルメゾンで描いた『薔薇図譜』を出版すると、優美な薔薇の肖像画は大評判になり、薔薇図鑑の最高傑作と呼ばれた。この本

のお陰でヨーロッパのみならずアメリカでも薔薇の愛好者が増えた。また、植物画も科学的絵画を飛び越え、芸術として脚光を浴びた。ジョセフィーヌは本の出版を見ずに生涯を閉じたが、伝説的な薔薇の守護者として、今なお語り伝えられる。

マルメゾン城（リュエイユ＝マルメゾン、フランス）
Château de Malmaison

　ジョセフィーヌの薔薇コレクションがあった、パリ郊外のマルメゾン城は、在りし日を偲び沢山の所縁の薔薇が植えられている。美術館となっている館内は、豪華なインテリアで飾られた皇后好みの私的な空間だった。セーブル磁器窯に注文した精巧な植物画付きのディナーセットなどは、彼女が薔薇のみならずあらゆる植物に興味を持っていたことを物語る。
◎ http://www.musees-nationaux-napoleoniens.org/homes/home_id24833_u1l2.htm

マルメゾン城美術館　建物正面と内部

英国王立薔薇協会ガーデン（セント・オールバンズ、ハートフォードシャー州）
Royal National Rose Society Garden : Gardens of the Rose

　1876年創設の薔薇のソサエティーで、世界中に2万人の会員を有し、あらゆる薔薇の知識を提供している。数万本もの薔薇が香気を放つ庭園は、世界中の薔薇愛好家のローザリアン巡礼地だ。たとえ花に興味ない人でも、庭園の美しさと品種の多さに圧倒されるだろう。

　2005年から拡張工事が始まり、生きた薔薇図鑑を目指し8000本、2000品種が加えられた。協会のパトロンだった先の皇太后に捧げた「クィーン・マザー・ガーデン」には、皇太后の庭にあった薔薇などがコレクションされている。また、歴史が辿れるヒストリカル・ローゼズのコーナーもあり、花の女王の流行の変遷を、実際に触れてみることができる。6、7月の花の最盛期には、一般公開される。
◎ http://www.aboutbritain.com/RoyalNationalRoseGarden.htm

英国王立薔薇協会の庭園

第9章
栄光の表現とスタイルのバトル
ハイ・ヴィクトリアン

ロストガーデン・オブ・ヘリガン
トレンシャム・エステート、ウェデスドン・マナー
アスコットハウス、ランハイドロック
バースの公園・街路、グレイブタイ・マナー
マウント・アッシャー（アイルランド）、ブラントウド

> ヴィクトリアンのコマーシャリズムの神殿
> あの世界七不思議に、我らが加えた第八番のもの。
> それはクリスタルパレス（水晶宮）。
> なんと荘厳な！ まるで なにか 巨大な甲殻類の硬鱗の抜け殻を、
> 土を落とし、洗い浄め、磨き上げたかのような！
> ジョン・ダビッドソン著『クリスタルパレス』

❖ クリスタルパレス（水晶宮）：ハイ・ヴィクトリアンの栄光

わずか18歳で王位に就いたヴィクトリア女王は、64年もの長きにわたって君臨した。特に1850年からの20年間は、国力が史上最大になる。この時代はハイ・ヴィクトリアンと呼ばれ、英国文化の黄金期、爛熟期であり、ガーデニングの世界でも驚くほど楽観的な繁栄が見られた。

鉄鋼産業とガラス製法の発達は、熱帯からの植物を育成出来る大規模な温室の建造を可能にした。ガーデネスクの旗手ラウドンは、ロンドンの周囲をガラスのプロムナードで囲んだり、街全体をガラスのドームで覆って人工的な天候を作るという、近未来構想まで練っていた。1851年には、その夢に近い巨大パヴィリオン、クリスタル

1851年、ロンドン万博のクリスタルパレス

花をあしらったドレス
（1870年のファッションプレート）

ヴィクトリア時代に流行したコンサヴァトリーでのティーパーティー
（ジェイムズ・ティソ画　1875-78年頃　個人蔵）

　パレスが、ロンドン万博の会場としてハイドパークに建てられた。長さ562m、幅124mの建造物はプレハブ工法の先駆けで、4カ月足らずで完成し、世間の耳目を集めた。女王の夫君で、強力な推進派だったアルバート公の信念に動かされ、78カ国が参加し、国際協力の時代、万博の伝統がここに始まった（→6章）。

　ガラスの建物は実用にも多用された。最も大きいのはウィンザー城のもので、葡萄、メロン、キュウリ、冬の切り花などの各温室が、およそ12.5haの土地に並び、スーパーのない時代、女王の家族、賓客や使用人等の巨大な胃袋を満たした。

　ウィンザーでは150人もの園丁が、宇宙ステーションのようなガラス屋根の下を縦横無尽に歩き回った。当時ヘッドガーデナー（庭園長）の権威は絶大で、部屋や食卓のみならず、花束やドレスを飾る生花の供給も一手に引き受けた。真冬に花を咲かせるのは最も大切な仕事で、庭園長の腕の見せ所だ。それらを育てるウォールガーデン（煉瓦塀で囲った庭園）は、主人のステータスでもあった。

　例えばクリスマスの窓辺を飾るのは、香りの強い房咲き水仙「ペーパーホワイト」やヒヤシンスだ。8月に球根を暗い納屋や苗床に貯蔵し、11月初めに発芽を確認すると日当りの良い窓辺に出し、真冬に花期を迎えるよう促成栽培した。シーボルトが冬の薔薇と呼んだ椿は日本から紹介され、専用のカメリア

バリマローハウスのコンサヴァトリー
（アイルランド）

19世紀のカメリアハウス
（チズウィックハウス、ロンドン）

右：斑入りの椿
チャンドラー＆ブース
『ツバキ図誌』（1831年）より

クリスマスに咲く水仙
「ペーパーホワイト」

　ハウス（椿の温室）が出来た。歌劇『椿姫』は、椿が社交界で如何に持てはやされたかを物語っている。
　世界の隅々から運ばれる珍種奇種は、次第に持ち場を獲得しつつあった。例えば広大な樹木園。また、シャクナゲだけを植えた並木道（→8章：シェリンガム・パーク、トレヴィゼン・ガーデンズ）、高木の熱帯雨林を再現するパーム・ハウス（→6章：キューガーデン等）、あるいはウォーディアンケースを窓際にとり付け、非耐寒性のシダや観葉植物、ランのテラリウムを作った。また日本から紹介された石庭は、ロックガーデンの流行で珍しい高山植物の楽園に変わった。パティオに出るガラス屋根の部屋はコンサヴァトリーと呼ばれ、薔薇やゼラニウムが冬でも咲き誇り、夏はトマトやキュウリが収穫できた。
　植物は、花壇用、温室用、公園用、一年草、多年草、低木、高木、また用途別や生態別等、現在でも使われるカテゴリーに分けられるようになる。

❖ホーティカルチャー（園芸学）の発展

　ガラス張りの携帯温室ウォーディアンケースは、外国から運ばれる植物の生存率を90％にまで高め、新しい植物の往来を爆発的に増やした。熱水循環の温室も実用化され、中流家庭でも温室を持てるようになり、非耐寒性植物の需要が伸びた。
　ホーティカルチャー（園芸学）とは、植物栽培に、芸術、科学、技術そして事業が参入したもので、この時代に長足の進歩を

観葉植物用に作られた居間の張り出し窓

第9章　栄光の表現とスタイルのバトル：ハイ・ヴィクトリアン

遂げる。最新技術の園芸と新種の植物が、園芸雑誌で次々発表され、育て方を教えるホーティカルチャリスト（園芸家）やプラントハンターのスターが草花の流行を生み出した。東洋からは菊やユリが、中米からはダリアが紹介され、寂しかったイギリスの秋は、銀杏や楓等の落葉樹とともに色づき始める。

最初の園芸雑誌を出版したジョン・クラウディウス・ラウドンは、新種を近くで観賞できるように個々を離して植えるべきだと言った。ところがこの植栽方法は、デザイナーが長年追求した全体美を、繋がりのない混沌としたものに戻してしまった。そのため全体美を保ちながら、個々をアーティスティックにディスプレイするという、厄介なテーマが再び浮上する。

事業の成功で巨万の富を得たヌーボー・リッシュ（新興成り金）も挙って庭園を作り、次々と奇を衒った建造物が現れた。インド風、中国風、トルコ風、日本風など、様々な四阿（あずまや）やサマーハウスで、イギリスの庭は溢れ返り、日本庭園には日本風植物、インド風建造にはインド産をと、デザイン分けも始まったがまだまだ野暮ったく、芸術性の向上が待たれた。

ロストガーデン・オブ・ヘリガン（ヘリガン、コーンウォール州）
The Lost Gardens of Heligan

「失われた庭・ヘリガン」は、時代の流れに朽ち果てたカントリーハウスを、5年の歳月をかけ在りし日に復元した庭園だ。1990年代に、メイクオーバーを追跡したドキュメンタリーがテレビ番組化され世界的に知られた。野菜や切り花、果物を供給したヴィクトリアン・ウォールガーデンが修復され、パイナップルハウス、メロンハウス、ピーチハウス、ワイナリー等、野菜や花、果物を当時の方法で育て、レストランで食べられる。ジャングル・失われた谷と呼ばれるワイルドガーデンには、19世紀に植えたニュージーランドからのディクソニア属、ブラジル産のグンネラ属、アメリカミズバショウ、中国産のシャクナゲ等が群生していて、イギリスとは思えない原始の風景を作り出している。

ヘリガンのジャングル

◎ http://www.heligan.com/

ヴィクトリアン・ウォールガーデン
（奥の白い温室はワイナリー）

❖リボン花壇とカーペット花壇：極彩色のサマーベッディング

　交配技術が格段に進歩すると、特定の植物専門ナーサリーが徐々に増え、派手で色彩豊かな園芸種が供給された。例えば、ゼラニウムとロベリアは南アフリカ原産の植物で、夏花壇の定番だが、年ごとにゼラニウムの新種が加わっていった。

　最もハイ・ヴィクトリアン的な庭園は、これらを使った色鮮やかなリボン花壇だ。屋敷の周囲の整形式庭園は、フランス、イタリア、オランダ、オールドイングリッシュ（チューダー朝風のノットガーデン）方式など、主人の好みに合わせてレイアウトされ、ロベリア、キンチャクソウ、バーベナ、ゼラニウム、サルビア、ベゴニアなど、一年草扱いの非耐寒性植物が密植された。だが、この種の花壇は一夏だけの華やぎだった。

　ハイ・ヴィクトリアン後期になると、リボン花壇のけばけばしい色彩に食傷した人々は、観葉植物や多肉植物、バナナや椰子の葉等、葉の色彩と質感を楽しむ花壇を好み始めた。不可思議にトーンダウンしたこの植え方を、カーペット花壇と呼ぶ。

　当時、ガーデナー達はデザインを競いあった。絨毯かと見紛う模様の敷物、蝶々や王冠の形などが、都市部の住宅やテラス、公園に氾濫した。この花壇作りは、フランスにも渡り「モザイクルチュール」と呼ばれた。

　トレンシャムの庭園長ジョン・フレミングは、当代きってのベッディングスキーム（花壇の植え込み計画）の達人だったが、一夏だけの植栽に疑問を投げかけた。「誰でも敷き詰められた花壇の美しさを否定出来ないだろう。しかし、この美はあっという間に終ってしまう。…花壇に花のない退屈な季節にも…野原は小さく綺麗な花や明るい色で飾られる。…このことを自然から学ぶべきではないだろうか？」（『スプリング＆ウィンターフラワー・ガーデニング』1870 年）

　彼は実際に、耐寒性のニオイアラセイトウ、アネモネ、アラビス、デイジー等で春花壇を作ったり、冬用にクリスマスローズの花壇を考案し、一年中花を絶やさない工夫をした。これは耐寒性の植物を使った、ハーベーシャス・ボーダー（宿根草花壇）への第一歩だったが、白いワスレナグサと青いパンジーで花壇を埋め尽くすために、何万本の植物と何十人もの庭師を使う贅沢さに変わりはなかった。

トレンシャム・エステート（トレンシャム、スタッフォードシャー州）
The Trentham Estate

　18 世紀にランスロット・ブラウンが設計したトレンシャム・エステートは、大きな湖のある風景庭園だ。カワカマスが悠々と泳ぐ水辺は、渡り鳥の恰好の越冬地になっている。サザーランド公爵のため、1830 年代に建てられた邸宅の前には、イタリア式

トレンシャム・エステート
右：イタリア庭園から風景庭園を臨む
左：夏の植物へ衣替え

整形庭園がある。庭園長ジョン・フレミング作の美しいパルテルと薔薇のアーケード・トンネルは有名で、当時多くの人が訪れた。

イギリス陶磁器生産のメッカ、ウェッジウッド等が近隣にあるトレンシャムは、1930年代に自治体に寄贈され、ビートルズも生演奏したダンスホール、トレンシャム・ボールルームは人気を博したが、火災のため建物は焼失した。

21世紀に入り、ヴィクトリアン風のイタリア庭園が修復されている。下手のハーベーシャス・ボーダーは、現在最も有名なプランツマンの一人、ピエト・ウードルフのデザインで、グラス類、サルビア、エキナセア、フロックス等を多用したモダンな整形庭園になっている。色彩と植物の選択が洗練されとても美しい。2004年秋から、約290haの敷地内に、高級ホテル、ガーデンセンターやクラフトショップ、世界の猿を見せるモンキーフォーレストなどを併設した複合レジャー施設が開園し、21世紀型の歴史的庭園の保護修復方法として注目を集めている。

◎ http://www.trentham.co.uk/trentham-gardens

ウェデスドン・マナー（アイレスベリー近郊、バッキンガムシャー州）
Waddesdon Manor

ヨーロッパの大富豪、ロスチャイルド家の別荘ウェデスドン・マナーは、フランス

ウェデスドン・マナー　左：リボン花壇、右：カーペット花壇

のシャトーをイメージして 1874 年に建てられた。屋敷の中庭に面したパルテルのリボン花壇は、当時からよく知られていた。

筆者が訪ねた年は、ベス・ロスチャイルド女史がデザインした、真っ赤なゼラニウムの華やかなリボン花壇が出来ていた。春と夏に2回植え替えし、趣向を凝らすので年ごとに違うデザインを楽しめる。庭園長が「私達は 30 人足らずで広大な敷地を分担しています。パルテルだけでも 25000 株の植物を植えなければなりません。ヴィクトリア朝には桁外れの富があり、70 人のガーデナーが雇われていました」と、管理の難しさを語った。美しい 19 世紀のアバイアリー（鳥類飼育場）もある。

ウェデスドン・マナーの邸館

アバイアリー

現在はロスチャイスド慈善トラストとナショナル・トラストとが共同で経営するが、ナショナル・トラストの入場者数上位を誇っている。

◎ http://www.waddesdon.org.uk/

アスコットハウス（ウイングレイトン・バザード、バッキンガムシャー州）
Ascott House

やはりロスチャイルド家の別荘として 19 世紀に建てられた。チューダー朝のティンバーフレームを模した屋敷は、「見たこともないほど贅沢で愛らしい、コッテージのような宮殿」と称賛された。ハーフティンバー建築のコッテージスタイルの館（→ 8 章）だ。

庭園はやや遅れて、20 世紀初頭に出来ている。自らも才能豊かなガーデナーだったレオポルド・デ・ロスチャイスドは、ハリー・ヴィーチ卿〔ロンドンのチェルシーにナーサリーを持つヴィーチ商会の所有者、園芸家。チェルシー・フラワーショーの創設者の一人。→ 6 章：グラスネヴィン〕の助けで庭園を作った。

サンクンガーデン（沈床花壇）は、数種のコウリスと Tokio と呼ぶ葉牡丹、銅葉色のカンナのカーペット花壇になっている。また黄金のイチイと西洋ツゲの日時計のトピアリーには、レオポルドから妻への結婚記念の言葉が刻まれている。

Light and shade by turn, but love always
光と陰は交互に、しかし愛は永遠

アスコットハウス
左：カーペット花壇
右：シダに囲まれたグロットー

開園日は少ないので、よく調べて。
◎ http://www.ascottestate.co.uk/index.htm

ランハイドロック（ラニベット、コーンウォール州）
Lanhydrock

　ランハイドロックは、アーゲル・ロバーツス家が所有した、豊かだが慎みある素晴らしい邸館だ。17世紀に作られたギャラリーには、長さ29mの珍しい漆喰細工の天井がある。ギャラリーの棟と入り口のゲートハウス以外は、ハイ・ヴィクトリアンのチューダー建築の建て増しになっている。

　ヴィクトリア朝の部屋を50室も見学できるガイドツアーは、当時の生活を偲べる。召使いのキッチンだったレストランでは、コーンウォール名物のコーニッシュ・パスティー等を楽しめる。庭園はフォーイ川へと下る360haのピクチャレスクな森と牧場を含み、散策路が素晴らしい。屋敷前の庭園は、西洋イチイのトピアリーとローズガーデン、リボン花壇もあ

ランハイドロック　左：春のリボン花壇、右：ゲートハウスと中庭

る。様々な外来の花木があり、特に椿とモクレンが有名。シェイクスピア喜劇『十二夜』を映画化したイギリス映画『十二夜』（1996年）で、令嬢オリヴィアの館に使われた。これにはセント・マイケルズ・マウントやコーンウォールの海岸も登場する。
◎ http://www.nationaltrust.org.uk/lanhydrock/

バースの公園・街路（バース、サマーセット州）
Royal Victoria Park in Bath

　19世紀に産業革命により都市化が進むと、地方からやって来た労働者は劣悪な環境で働きスラムに住まざるを得なかった。フランス革命にショックを受けた人々は、一般民衆のこの不満を抑えようと、都市公園の整備を盛んに始める。ラウドンは労働条件の改善も積極的に薦め、都市緑化を市民の健康促進のために奨励している。

　バースの起源はその名の通り、古代ローマ人が温泉を見つけたことに始まり、こんこんと湧くローマ風呂は、街とともに世界遺産になっている。建造物はバースストーンと呼ぶ石灰岩で作られ、街全体が蜂蜜色で統一され美しい。

　慈善家と企業家、地方政府が協力し作られたのが、ロイヤル・ヴィクトリア・パークだ。半月形で美しい18世紀の建造物、ロイヤル・クレセントに面して広がる。幼いヴィクトリア姫のバース行幸を記念しており、各地にある女王の名前を冠した公園の先駆けになった。約23haの敷地に、樹木園、鳥類飼育場、テニスコート、池、子供公園、ボウリング・グリーン、ミニゴルフコース等がある。当時の管理人のコッテージ、バンドスタンド、四阿（あずまや）などの建物も残る。

　イギリスの緑化園芸コンテスト「ブリテン・イン・ブルーム」で、1964年の第1回以来、都市部門優勝の栄冠に何度も輝き、英国で最も園芸が盛んな市の一つ。
◎ http://visitbath.co.uk/things-to-do/attractions/royal-victoria-park-p25701

バース　左上：ロイヤル・クレセント、左下：ヴィクトリア朝式の夏花壇
中：パレードガーデン、右：パレードガーデンのリボン花壇

❖ 『田舎道』：田園を歩きたい

　1850年代には英国内の鉄道網はいち早く整備された。喧噪から逃れ、しばし田舎で休息したかったのだろうか、ヴィクトリア女王は汽車の旅を好んだ。詩人クリスティナ・ロセッティも、そんな旅を詠っている。

もうこれきりでロンドンから、のがれて自由になりたいのです
仕事を棚にさらしておいて 仕事中途で逃げたいのです。
一番汽車で都を離れて、汽笛を鳴らしてまっしぐらに、
荒い北風を身にうけながら、萌えでる薊が路傍の
荒野にのばす青い葉っぱや、やわらかな毛を 私は見たい。
まだ咲きそめの菫の土手や ピンとした葉の桜草や
ふざけて跳ねる仔羊たちが 親を小突くのを私は見たい。

『田舎道』入江直祐訳

奉公休暇（M. ファルディナーの銅版画）

　クリスティナは、中世的な神秘性と芸術復興を唱えたラファエル前派の画家、ダンテ・G・ロセッティの妹だった。その友人 ウィリアム・モリスは、アーツ＆クラフツ運動を始め、機械的な大量生産を批判した。「あまりによく見かける事柄、それは人間精神の逸脱である。…これを技術的にはカーペット花壇と呼ぶ」と、ハイ・ヴィクトリアンの庭園を皮肉っている。世紀末には、経済の豊かさに任せ贅を凝らしたガーデニングは、大英帝国が抱える深刻な都市問題の代名詞にまでなっていた。

❖ イングリッシュ・フラワーガーデンの父：「美」とは自然を再現すること

　リボン花壇やカーペット花壇を、ケーキ職人ガーデニングと呼んだのは、アイルランド出身の園芸家、ガーデンライター（園芸作家）のウィリアム・ロビンソンだった。彼は、審美家、批評家で詩人でもあるジョン・ラスキンが講師を務めた成人学校で、"美"とは、創造者たる神の完全さがある自然を再現すること」だと学んだ。

　ラファエル前派やナショナル・トラストの設立に影響を与え、大気汚染や地球温暖化を予見したジョン・ラスキンはこう寄稿している。

「我々は権力と知識を結集するために、都市に住むことを強いられている。しかし、その便宜のため、自然と親しむことを諦めざるを得ない。都市では皆が庭を持つことも、心地よい野原で思索することも不可能である。代わりに建築が語るというのだろうか。静けき

ウィリアム・ロビンソン
（1838-1935）

面影と、厳かで優しさに満ち、豊かに描かれた自然を。もう集めることの出来ない繊細な花でいっぱいの、今や遥かかなたに潜む鳥や動物の棲む自然について。」

ロビンソンの雑誌『ザ・ガーデン』より

　13世紀の神学者ロジャー・ベーコンの「自然の荒野をできるかぎり囲い込むことが出来たら」という序文を添え、ロビンソンが『ワイルドガーデン』(1870年初版)を出版すると、植物が道具と化した園芸に飽き飽きした人々は、諸手を挙げて大歓迎した。季節ごとに植え替える不自然な花壇は、「悪趣味で間違った計画なばかりか、植物にとって希望などない」と彼は主張する。花が終われば引き抜かれ新しい物に替えられる植物には、喜びも繁殖の希望も、生命循環の美徳もないというのだ。
　では自然を切り取ったような庭園とは、どんな庭なのだろう。ロンドンのリージェンツ・パークで庭師をした折り、国産の植物を担当した彼は英国内を調査旅行していた。その時に発見したのが、コッテージガーデンの美しさだった。曰く、「植物も通路も、花壇も幾何学的ではない田舎の庭先は、それ自体が絵のように美しい。このもっとも簡素な表現において、庭は芸術的と呼ばれる。」
　「創造者たる神の完全さが見られる自然を再現する」には、自然に任せた不整形のコッテージガーデンこそがぴったりだと彼は信じた（→11章）。
　また1867年のパリ万博に出かけた時は、公園で見た耐寒性植物の自然風花壇を絶賛している。これらの経験から、耐寒性の植物を半永久的に植え込み、在来種と外来種を混在させること。縁は蛇行した通路で飾り、植物をむやみに整形せずに自然の姿で育てること。また、温室をとても嫌い、特別な条件下で繁殖させるのではなく庭の中で周年育てるという、近代庭園の基本原則を確立し、これをワイルドガーデンと呼んだ。今では当たり前の、草原や水辺、あるいは森の中にある水仙やプリムローズなどの群生植栽は、ナチュラライズ（帰化、馴化）と呼ばれ、革命的な方法として驚嘆とともに迎えられる。
　ドイツでは、このワイルドガーデンの発想は、ビオトープというエコロジカルな方向へと発展する。また高山植物を専門に植えるロックガーデン、低木と耐寒性、半耐寒性の多年草を混植するハーベーシャス・ボーダー、

ロビンソンが指導したロックガーデン
（アイルランド国立植物園）

高低の異なる植物を土が見えないように密植したり、グランドカバーを使うなどを提案した。こうして、持ち主の趣向が強く反映される英国的表現がほぼ出揃い、生体系の配慮もなされる自然と共生するガーデニングのあり方が生まれる。

続いて1883年に出版された『イングリッシュ・フラワーガーデン』は、ガーデニングのバイブルとして現在も版を重ねている。これには、後に花のカラースキーム（色彩計画）で一世を風靡したガートルード・ジェキル（→11章）も寄稿している。

グレイブタイ・マナー（イースト・グリンステッド、ウエスト・サセックス州）
Gravetye Manor

97年という長寿を全うしたロビンソンは、長閑な南イングランドにある16世紀のエリザベス朝の荘園建築、グレイブタイ・マナーを修復した。『グレイブタイ・マナー：20年にわたる古いマナーハウスの庭仕事』という本を、1911年に出版している。マスが棲むという湖を見下ろす丘の上に屋敷があり、ロビンソンが植えた何万個もの水仙が、ワーズワースの詩のごとく丘に向かって波打つ。

新来の植物や在来種をいかに自然風に植栽するかに、51年間も没頭したイギリスの「花咲かじいさん」は、命を生かす温かなガーデニングを模索し続けた。絶滅の危機に瀕していた在来の古い園芸種も、ロビンソンによって救い出されている。

筆者が訪ねた折りは、セダムやタイムが生えた石の屋根から、早咲きのクレマチスが垂れ下がり、足下にはカウスリップとブルーベルが咲き、何とも風情があった。現在はホテルなので、庭園の見学は予約制。

◎ http://www.gravetyemanor.co.uk/gravetyemanor/en/home

上：緑の海に浮かんでいる様なグレイブタイ・マナー
下：カウスリップとブルーベル

マウント・アッシャー
ロビンソニアンスタイルの庭

マウント・アッシャー
（ウィックロウ近郊、アイルランド）
Mount Usher Gardens

色鮮やかなシャクナゲ

> "ワイルドガーデン"とは、外来の丈夫な耐寒性植物を自生できる場所に植えることだ。好例は2月の裸木の下に咲く、セツブンソウだろう。
>
> ウィリアム・ロビンソン『イングリッシュ・フラワーガーデン』

アイルランド出身のロビンソンはマウント・アッシャーを庭の理想と考えた。ダブリンの南ウィックロウという町に、世界中の植物が、半永久的に自生できるように植えられ、自然には存在しないが、あたかも自然に見える庭が作られた。ワイルドガーデンはロビンソニアンスタイルとも呼ばれる。

筆者が訪ねた早春には、芽吹く前の白樺やオークを背景に、色とりどりのシャクナゲや椿が咲いていた。ヴェルトリー渓谷の緩やかな流れを挟み、左右に広がる森林は世界中からの花木で満ちている。日本の楓が萌え出す時、足下では在来のヤブイチゲが一面に咲き誇る姿は、まるで太古からそこにあったようなハーモニーを醸し出していた。3月から11月開園。

◎ http://www.mountushergardens.ie/

ヤブイチゲ

ロビンソニアンスタイルの例　左：ジャージー島（チャネル諸島）レイノルズ家の庭
右：オールドビカラージ（ノーフォーク）のワイルドガーデン（草原の再現）

第9章　栄光の表現とスタイルのバトル：ハイ・ヴィクトリアン

ブラントウッド（コニストン・ウォーター、カンブリア州）
Brantwood

「出て行け、春には草原の中に。スイスの湖から立ち昇る坂に…そこぐは、背文の高いリンドウと白い水仙、草が自由に深々と茂っている…曲がりくねった山の小径に連れて、すべてが花のベイルで霞んだ小枝のアーチの下を…小径は、緑の湖畔に丘に、延々と沈みまた登りしながら、香り豊かな畔を通り過ぎ、急に青い水面に下る。そこにもここにも苅りたての干し草の山があり、空気をほのかな香りで満たす…丘の頂きを見よ。永遠に続く緑の波が音も無く、松林の陰に入り込む長い裾を、そうすればおそらく、ついにあの静寂たる詩篇 147 篇の、"神は…山々に草を生えさせ" の意味を知るだろう。」
ジョン・ラスキン『モダーン・ペインターズ』

　ブラントウッドは 18 世紀終りに建てられた。ピクチャレスク・ツアーのメッカで、湖水地方を訪れた人が必ず見るべきポイントとされた。高台からオールドマンと呼ぶコニストン山とその裾野に広がるコニストン・ウォーターを眺めると、まさにラスキンの言う、自然の作り出した芸術の真髄を感じる。

　19 世紀後半には、ジョン・ラスキンのセミナーハウス〔自然の中で講義する、彼自身が考案した教育方法〕になり、終の住処にもなった。当時は強烈にバックアップした画家ゲインズバラ、ターナー、ラファエル前派などの絵を飾ったという書斎からは、美しい湖と山々の稜線が一望できる。ラスキンは自国の文化人のみならず、フランスの作家トルストイやプルーストにも影響を与えたことでも知られている。

　引っ越しの第 1 日目、「庭を一掃すること。雑草が燃やされるのを黄昏れの中で見る」と、1871 年 9 月の日記にある。ラスキンにとってガーデニングは、「神により近づくため自然の管理をする」ことだった。屋敷の裏の丘には、プロフェッサーの庭（彼自身はオックスフォード大学の教授だった）がある。「自作農（ヨーマン）の庭」もあり、そこには心と体に良いハーブや野菜を植えた。時代の歪みを痛烈に批判し、新たなライフスタイルを模索したラスキンのメッセージは、21 世紀にも鮮烈に響く。

　100 ha の森と丘を含む園内は散策路になっていて、イングリッシュ・ブルーベルの季節には、森が一面青く染まる。また紅葉も美しい。ブラント・ウッドには、ゴンドラと呼ぶ湖を渡る舟で訪ねるとよい。ラスキンの言葉が体験できるだろう。

◎ http://www.brantwood.org.uk/

ブラントウッドからの眺め

第10章
カラースキームの光彩
エドワーディアンとネオ・ジョージアンの庭

ウォーリー・プレイス、ヘスターコーム・ガーデンズ
リンディスファーン城、バーリントン・コート
ヒドコート・マナー、キフツゲート・コート
ブリックリング・ホール、バスコット・パーク
パワーズコート（アイルランド）

❖黄昏の輝き：エレン・アン・ウィルモット（1858-1934）

　1901年にヴィクトリア女王が崩御すると、エドワード7世の短い治世の後ジョージ5世と、映画『英国王のスピーチ』で知られるジョージ6世が王位についた。20世紀前半のイギリスは、革命と動乱、戦争で彩られ、華やかな特権階級は力を失い民主主義が台頭する。しかし彼等の最後の栄光は、沈みゆく夕日が空一面に投げ出す黄金の輝きにも似て、後の時代に強烈なインパクトを残した。

　英国王立園芸協会の図書館に、一枚の肖像画がある。凜とした黒い瞳、きりりと一文字に結んだ薄い唇の美女、その名前はエレン・アン・ウィルモット。リンネ協会の数少ない女性メンバーであり、中国で活躍したプラントハンター、アーネスト・ウィルソンのパトロンの一人だった。愛らしい薔薇の原種、ピンクの一重咲ローザ・ウィルモッティアエは、ウィルソンが送った種を彼女が育てたことに因む。植物の申し子は、早くも10代で高山植物のロックガーデンを作っていた。

　19世紀に入ると人々は好んで地中海に別荘を持つようになり、穏やかな冬のフレンチリビエラは避寒するイギリス人で溢れた。英国では最初の霜で枯れる植物も、明るい太陽の下では冬中繁茂する。彼女は女性としては初めて、植物を育てるためだけに別荘を買った。

　やがてアルプスのイギリス人避暑地、トレセルブ城界隈にも別荘を買い、スイス人植物学者から、矮性シャクナゲ、サクラソウ、トリリウムなどの高山植物を購入している。薔薇に対する情熱も一人で、

エレン・アン・ウィルモット

左：コウシンバラの栽培品種
ウィルモット著『バラ属』
（1910-14年）の原画

右：ロサ・
ウィルモッティアエ

　この山荘で書いた薔薇の本は、自身の11000株のコレクションから生まれたものだった。1904年には、リビエラのヴォッカネグラに新たな別荘を求めた。地中海に落ちてしまいそうな急な坂に、100株の西洋ヒイラギナンテン、カンナを300株、赤と白のコントラストが愛らしい原種チューリップのクルシアーナを600個も注文している。

　だが時代は刻々と変化していた。1914年に第一次世界大戦が勃発すると破産に追い込まれ、2つの別荘は友人の手に渡る。晩年は両親の遺産を使い果たし、貧困の中で他界したという。偉大なプランツウーマンとしての称号、王立園芸協会のヴィクトリア賞とともに伝説だけが残された。彼女が関わった植物はwarleyensis、あるいはwillmottiaeという名称がついていて50種を超える。例えば、「ミス・ウィルモット」という深紅のチャイナローズや、1917年アイルランドで作出された園芸品種の薔薇「ミス・ウィルモット」がある。この花はクリームイエローに薄桃色の縁付きというから、薔薇の名花「ピース」に似た花だったのだろうか。また、種を庭の至るところに蒔いたことから、エリンギウム・ギガンティウムには、「ミス・ウィルモットの亡霊」というニックネームがついている。

エリンギウム・
ギガンティウム

ウォーリー・プレイス（ブレントウッド、エセックス州）
Warley Place

　裕福な弁護士だった父が購入した、ウォーリー・プレイス屋敷の6.4haの庭は、彼女が管理していた。往時は100人もの庭師が働いていた庭園は、完全に森と化している。育ちすぎた木を伐採したところ、彼女の植えたスノードロップが数十年ぶりに芽吹いたという。ロックガーデンの岩組と屋根の抜け落ちた温室の壁が残っていて、壁に咲いた

ウォーリー・プレイス
右：ロックガーデン跡
左：スノードロップ

ムラサキケマンが、花の女傑の面影を伝えていた。
　自然保護のグリーンベルトに引っかかったため、エセックス・ワイルドライフ保護下で、開発は完全凍結され、都市化で行き場を失ったアナグマやキツツキ、フクロウなど野生動物の安住の地になっている。ワイルドガーデンを愛したウィルモットへの天の采配なのか。情熱の凄まじさがかえって増幅するような、不思議な眠りの森だ。早春には野生化したスノードロップと水仙が咲き誇る。
◎http://www.warleyplace.org.uk/

❖万能の人：ガートルード・ジェキル（1843-1932）
　孤独な影を宿すミス・ウィルモットとは対称的な人物が、女流ガーデンデザイナーのミス・ガートルード・ジェキルだ。彼女はサリー州の裕福な家庭に生まれ、ロンドンのケンジントン美術学校に通った。その頃に出会ったジョン・ラスキンの薦めで、来る日も来る日も国立絵画館で絵の模写をし、「灼熱のハーモニー」とラスキンが称えた印象派の色彩を体得した。後に彼女が紹介する、植物のカラースキーム（色彩計画）には、このセオリーが取り入れられている。

ガートルード・ジェキル
（ウィリアム・ニコルソン画　1920年）

ジェキルの庭マンステッド・ウッドのボーダー
（M.B. ヒューイシュ著『ハッピー・イングランド』1903年より）

第10章 カラースキームの光彩：エドワーディアンとネオ・ジョージアンの庭

19世紀に入るとグランドツアーは裕福な子女にも流行し、ジェキルもギリシャ、トルコ、スイス、イタリア、フランスを旅した。地中海の香り高いハーブを愛し、ローズマリーやラベンダー、ビロードモウズイカやハシーナバリ等も後に好んで植栽に使っている。

　彼女の最初のキャリアは、クラフトウーマンだった。アーツ＆クラフツ運動を始めたウィリアム・モリスに1869年に出会い、テキスタイル・デザインを師事した。間もなく刺繍やタペストリー、銀製品、木彫、インテリア・デザインなどの仕事を始め、勢力的にこなすが、40代になると視力の衰えが激しく、目を酷使する仕事を諦めるよう医者に宣告された。

　一方で1875年にはウィリアム・ロビンソンの雑誌『ガーデン』の女流ライターとして連載を始めるが、あくまでもガーデニングは趣味だった。ところが華麗な転身が待っていた。1889年、友人宅のお茶会でアーツ＆クラフツ運動に造詣の深いエドワード・ラッチェンスに出会ったのだ。ラッチェンスはニューデリーの都市計画など、多くの公共建築を手がけた、新進気鋭の建築家だった。25歳の年齢差だったが、二人はすぐ意気投合し、田園を廻りながらコッテージの石組みやティンバーフレームについて熱く語り合う。こうして年齢も性別も超えた、世紀のコラボレーションは始まった。屋外での作業が主であるガーデニングは、彼女の目にとって負担が軽く、一石二鳥だった。

❖カラースキーム：庭園の色彩計画
　「さて、私達はいくつかの低木の木立を過ぎて、遂に喝采の眺めに出会う。それは香り高い大きな杯を何百となくつけているハクモクレンの木だ。これに辿り着くほんの少し手前に、鮮やかな黄色の花を沢山のせたレンギョウの長い枝が揺れる高い茂みがいくつかあり、見上げると、無数の花が真っ青な空を背景にくっきりと輪郭を映し出している。これが三番目の絵画だ。これには、暖かみのある白色と最も輝かしい黄色が、燃え立つ青と太陽の光の上にのっている。」
　　　　　　　　G. ジェキル著『カラースキームズ・フォー・フラワーガーデン』

　彼女が本格的に仕事を始める前から、ジェキルの庭マンステッド・ウッドはすでに有名だった。6haの森や芝生の庭は、あらゆる場所が絵画的に計画された。家にはクレマチスや葡萄を這わせ、大好きなローズマリーを壁際にあしらった。彼女は植物が一斉に開花する場所を、季節ごとに用意した。春には森が、夏から秋には長さ60mほどのボーダー花壇が花盛りになった。両端部は青や白、淡い黄色の花を

植え、グレイリーフの植物で縁取りをした。中央に行くに連れ、紫やピンク、白が溶け合い、中心ではスカーレットやオレンジの夏の花が輝き、生きた植物によるターナーの「灼熱のハーモニー」を演出した。また白い花だけのホワイトガーデンや、ギボウシやシダ、斑入りのススキを使い、緑の葉のグラデーションの庭も試みている。サクラソウやワスレナグサ等小振りの花は、マッス（群植）だと素晴らしい効果を発揮することを紹介した。また、一年中花を絶やさない工夫として、冬はクリスマスローズやヒースを使うことを勧めた。

ラッチェンスがハードを設計し、ジェキルが植物を刺繍のようにレイアウトするという共同作業が始まると、二人の生み出す庭園は、「整形の枠組みに不整形の植栽」という画期的なものになった。ラッチェンスは直線が支配する緊張感ある仕上がりを好み、木材や石組みの自然素材で出来た、複雑な幾何学模様の庭をデザインした。その境界線、擁壁、階段、苑路に、ジェキル流のマッスに配された花々が乱れ咲くと、不思議に和らいだ雰囲気が醸し出された。二人は瞬く間に名声を得る。

世界中から送られる植物を、統一感ある色彩で一服の絵画に纏める方法は、前世紀からの課題だった。ジェキルは印象派の目でこの難問を解いたのだ。植物の色やテクスチュアは、アーティストのパレットに載った絵具だから、考えも無しにキャンバスに塗りたくれば台無しになる。鍵は色彩を制限し組み合わせることだった。

これまで植物学者や園芸家は、「植物自体が庭の存在理由でデザインは二の次」と主張し、一方ガーデンデザイナーは、「デザインが芸術性に優り、植えたり抜いたりの園芸作業は隷属する」と考えた。自らも土に汗するガーデナーだったジェキルは、この二つの立場をついに同等のアートに昇華させる。イングリッシュフラワーガーデンは、「暮らしの中の美」が芸術の域に達する、アーツ＆クラフツ運動になる。

蕾や葉の細部から溢れんばかりに繁茂する群落、そして光と陰の明暗まで、あらゆる次元で植物を等しく観賞する芸術が生まれた。地方色豊かな創意工夫を凝らしたハードウェアに、花や葉が注意深く置かれると個性的で優しい光景が広がった。花の色彩計画の巧みさに関してジェキルに並ぶ者はなく、現在でも多くのガーデンデザイナーがこのセオリーを利用している。生涯に200を超える庭園を設計し、その暖かい語り口の著書によって、男女を問わず次世代のガーデナーの規範、憧れになっている。

ヘスタークーム・ガーデンズ（トーントン近郊、サマーセット州）
Hestercombe Gardens

ラッチェンスのデザインは複雑で、ジェキルの植栽は草本類を多用するから、メン

テナンスはとても難しく、二人の庭園はあまり残っていない。だが幸いにも、その面影を留めた圧巻のヘスタークーム・ガーデンズがある。

エドワーディアンには、ティータイムを屋外で楽しむようになったので、ローズガーデンにはアーバーを設え、ラッチェンスは椅子もデザインしている。続くグレイ（銀葉色の植物）ウォークには、ラベンダー、キャットミント、ローズマリー、ナデシコ、ユッカ、メキシコオレンジ等、香りの良い植物が多用された。

巨大な長方形のサンクンガーデンを囲むように、細いリルと呼ぶ二本の流れが東西に走り、中央にはX字に交差する歩道がある。ユリやデルフィニウム、薔薇など青と白、ピンクの花が百花繚乱と咲き競う。東のリルの階段を上ると、ロトンダと呼ぶ美しい円形池のテラスに出る。その先にあるダッチガーデンは、ジェキルの好んだグレイリーフの植物が支配する。ビロードの感触のラムズイヤー、サントリナ、ラベンダー等がテラコッタやテラスの石組みを引立て、洗練された色彩の庭だ。チャイニーズゲートを潜ると、湖のある18世紀の風景庭園の散策を楽しめる。

◎ http://hestercombe.com/

リルと睡蓮の池

ロトンダ

ヘスタークーム・ガーデンズ　上：サンクンガーデン
下左：鋭いエッジを植物で和らげる、下右：ダッチガーデンとチャイニーズゲート（後方）

リンディスファーン城（ホーリーアイランド、ノーザンバーランド州）
Lindisfarne Castle

　ホーリー・アイランドの起源は、ケルトの聖人が隠棲したことに始まる。この島は潮の干満によって、一日に二度本土との道が水没する。「イギリスで最も聖なる島」と呼ばれる名高い巡礼地で、北国の凛とした空気に心が洗われるようだ。

　1897年創刊で今日まで続く、『カントリーライフ』の編集長エドワード・ハドソンの別荘のため、ジェキルは庭をデザインした。北海に面したリンディスファーン城は、チューダー朝の城塞だったが、1903年にラッチェンスが素晴らしい住宅に改築している。意外にも小さな花園は窓から見渡す牧場の一角、放牧地の真ん中にあり、羊と北風を避けるため2mほどの石の壁が積んである。壁で区切られた部分を鮮やかなキンセンカやスイートピー、西洋マツムシソウが彩り、ラムズイヤーで縁取りされた草本類だけの愛らしい庭だ。マッスで植え込んだ軽快で不規則なリズムの「色の吹き寄せ」が、離れた母屋からも楽しめるようになっている。

　ナショナル・トラスト所有。庭は周年見学可能だが、夏が見頃。
◎ http://www.nationaltrust.org.uk/lindisfarne-castle/things-to-see-and-do/page-2/
◎ http://www.gardenvisit.com/garden/lindisfarne_holy_island_garden_jekyll

色の吹き寄せ花壇

城と牧場

リンディスファーンのジェキルの庭　上：ラムズイヤー、マツムシソウ、キンセンカなど　下左：ギンバイソウ、ベルガモットなど、下右：野生のシカギクに招かれ、リンディスファーン城へ

第10章　カラースキームの光彩：エドワーディアンとネオ・ジョージアンの庭

バーリントン・コート（イルミンスター近郊、サマーセット州）
Barrington Court

20世紀に入ると社会システムの変化から、維持管理が経済的に難しい邸館が続出し、次世代に文化を引き継ぐ手段としてナショナル・トラスト運動はさらに盛んになった。

1907年に寄贈されたバーリントン・コートは、トラスト最初の大規模邸館で、古いチューダー朝の荘園だったが、長らく人の住まない廃墟になっていた。テナントのライル卿は修復保全にかかり、花形デザイナー・ジェキルに庭園のアドバイスを頼んでいる。イタリア風のリリーガーデンには赤やオレンジを使い、白い花だけのホワイトガーデンなど、言わば当時の最新流行を中世の中庭に試みた。古い屋敷をただ修復するだけではなく、ジェキルのカラースキームを使ったことで、当世風で洗練されたエドワーディアンの雰囲気が生まれた。

◎http://www.nationaltrust.org.uk/barrington-court/things-to-see-and-do/page-2/

ホワイトガーデン

リリーガーデン

❖アメリカン・ドリーム：古き良きイングランド

20世紀は紛れも無くアメリカの時代だ。自由の国は「ニューマネー」と呼ぶ新興有産階級を生み出した。全てを手に入れたかに見える彼等は、何か足りなさを感じたようだ。故郷のヨーロッパを愛し、ルーツを求め里帰りする裕福なアメリカ人は、片田舎コッツウォルドのブロードウェイにコロニーを築く。

中世にはウール産業のメッカだったコッツウォルド。蜂蜜色の壁が美しい教会はその利益で建てられ、ウールチャーチと呼ばれた。ところが時代が変わると、石炭鉱脈が見つからず、産業革命に乗り遅れてしまう。他の地域はどんどん工業化・都市化する一方、ここだけ古き良きイングランドが残された。「暮らしの中の美」を奨励したアーツ＆クラフツ運動の職人達は、静かなコッツウォルド地方に移り住む。こうして大量生産と機械化に反撥した鍛治屋、家具職人、陶器師らは、古い手作りの伝統文化を愛する裕福なアメリカ人達に見いだされる。

もし、世界に最も影響を与えた20世紀の庭を一つあげるとしたら、美しいチッピン・カムデン村にある、ヒドコート・マナーガーデンだろう。その庭を創造したロー

レンス・ジョンストンの両親も、アメリカ人だった。彼自身はパリ生まれ、ケンブリッジ大学で歴史を学び、ほぼ生涯をヨーロッパで過ごしている。母親のウィンスロップ夫人は、夫が亡くなると帰化した息子を頼った。花を愛するアメリカ系英国陸軍少佐は、1907年、古い大きな木があるほかは庭らしいものは何ひとつない4haあまりの荘園に、母親と二人で引っ越してきた。

ヒドコート・マナーの特徴は、庭園と建物に関連性がまったくなく、屋敷よりも庭園が主人公だということだ。チューダー朝以来、庭は家の飾りで、屋敷の正面玄関が庭の主軸だった事を、読者は覚えているだろう。しかし、ここでは庭の主軸が、家と何ら関連性を持たず、全体像は歩かないかぎり皆目見当がつかない。

ジョンストンは、何度か自らプラントハンティングにも出かけた。1931年には、伝説的なイギリス人プラントハンター、ジョージ・フォレストに同行し、中国の雲南省に出かけ、ハゴロモジャスミンとヒイラギナンテンを持ち帰っている。フォレスト自身はシャクナゲとサクラソウを沢山紹介したが、最近では早春の風物詩になっているプリムラ・マラコイデスも、彼が持ち帰ったものだ。

ジョンストンはミス・ウィルモット同様、フレンチ・リビエラに別荘を持ち、冬から春はそこに滞在した。1948年には健康上の理由から、余生をフランスで送る

ウィンスロップ夫人の庭

ヒドコート・マナー　正面玄関

ホワイトガーデンの
太めの小鳥のトピアリー

フクシアの庭と水浴びの庭

ダリアとフロックスの咲く
オールドガーデン

第10章　カラースキームの光彩：エドワーディアンとネオ・ジョージアンの庭

145

ヒドコート・マナー
左：レッドボーダー、右：ガゼボを通して見たロングウォーク

シデの高足垣を越えると、前方にエバシャムの谷が広がる

ことになり、ヒドコート・マナーはナショナル・トラストのガーデン第1号として寄贈される。「自然美と歴史的遺産」を保護する目的のトラストにとって、当初庭園は対象外だった。しかし、四季折々変化する庭園はリピーター率が高く、建造物よりも人気があるので、後にはトラスト運営の柱になるが、ヒドコートはそれを教えてくれた記念すべき庭でもある。

ヒドコート・マナー（チッピング・カムデン近郊、グロスターシャー州）
Hidcote Manor

　コッツウォルドの曲がりくねった道を登ると、丘の上に屋敷がある。風が強いため廻らされたシデ、菩提樹、イチイ、カバ、ツゲ等の生垣は、様々な葉の混在によってタペストリーの様な質感を出す。ラッチェンスの複雑でエレガントなデザインの影響を受けつつも、イタリア風に樹木を多用したので、森のような視覚効果を得ている。仕切られた空間ごとの変化が面白く、花で溢れた部屋、緑一色の巨大な部屋、トピアリーや彫刻等の部屋と、趣向を凝らしたアウトドアルームが次々と現れる。

　ジョンストンはジェキルのカラースキームを参考に、ホワイトガーデンや、赤やオレンジの花で夏のレッドボーダー花壇を作っている。イタリア庭園の影響を受けた馬蹄形のシアターガーデンやロングウォークは、生垣と芝生で構成された緑の部屋で目に優しい。レッドボーダーの先の階段を登り、ガゼボを過ぎ規則正しく並んだシデの木のスティルトガーデン〔高足垣：フランス風のフォーマルなパリセイド〕を進むと、柔らかい光に包まれた田園、エバシャムの谷が絵のように広がる。

　観光客が多いので、夏の土日は避けたい。
◎ http://www.nationaltrust.org.uk/hidcote/things-to-see-and-do/page-1/

キフツゲート・コート（チッピング・カムデン近郊、グロスターシャー州）
Kiftsgate Court

　ヒドコートの目と鼻の先に、キフツゲート・コートはある。隣人のジョンストン少佐と生涯の友になったヘザー・ミュアーが、1918年に引っ越して来たときは、玄関前のフォーマルな庭しかなかった。建物は後期ヴィクトリア朝のものだ。

　当時、上流階級の女性がガーデニングをすることは珍しかったが、特にカラースキームが得意だった彼女の情熱とインスピレーションは、止めようがなかった。白い一重の房咲き蔓薔薇、ローザ・フィリペ'キフツゲート'は、庭園の名前を永遠にしている。庭はみなで味わうべきと、一般公開を始めたのもヘザーのアイデアだった。薔薇の研究家グラハム・トーマスが、「とても美しい色彩の労作で、何とも目を楽しませてくれる」と王立園芸協会に寄稿し、キフツゲートは有名になった。

　この庭の素晴らしさは、三代にわたり女主人が庭仕事を続けていることだろう。娘のディアニー・ビニーは、坂の下にある三日月のスイミングプールを設計施工し、現在の女主人アン・チェンバーズは、古いテニスコートをウォーターガーデンにした。母ビニーがアンに教えた、三つのガーデニング心得がある。「1. 剪定をしっかりする。2. 雑草を見たらすぐに抜く。3. 庭をよく観察し今やる仕事を見つける。」現在はチェンバース夫妻と二人のガーデナーが庭園を守る。

　イギリスでは有名庭園のガーデナーはスター、その憧れの庭で気に入った植物を見つけ、自分の庭で育てるのが喜びだから、訪れる人は後を絶たない。

◎ http://www.kiftsgate.co.uk/wp-content/uploads/2012/01/KiftsgateJap.pdf

キフツゲート・コート　　　　　　　　　　　　　　　　　　　　　ローズガーデン

スイミングプール 　　　　座って眺めるのも大切 　　　アスチルベの小径

ブリックリング・ホール（ノーリッジ、ノーフォーク州）
Blickling Hall

　ヘンリー8世の2人目の妻、エリザベス1世の母アン・ブリンはここで生まれた。屋敷は赤煉瓦とジャコビアン風の塔が印象的だ。400年の歴史あるカントリーハウスで、ランドスケープガーデンは、ケイパビリティー・ブラウン風だ。屋敷前の巨大で豪華な花のパルテルは、ガーデンデザイナー、ノラ・リンゼイが20世紀前半にデザインした。彼女はヒドコート・マナーのローレンス・ジョンストンの友人で、ヒドコートの造園にも協力している。

　ジェキルのカラースキームやイタリア風のフォーマリティーを好み、規則的なイチイのトピアリーをアクセントに、宿根草をマッスに植え込んで柔らかさと艶やかさを演出している。パルテルはサンクンガーデンで、四分割された四角いボーダー花壇だ。色彩が注意深く制限され、ピンク、ブルー、薄紫、白が屋敷の側に配され、離れるに連れ黄色、オレンジへと変化している。屋敷内には白い漆塗りのキャビネットが目を引く中国の間があり、リンゼイは好んでこの部屋に泊まったと言う。1940年以来ナショナル・トラスト所有。

◎ http://www.nationaltrust.org.uk/blickling/

ブリックリング・ホール　屋敷前のパルテル

正面入口

ナーサリー

赤と黄のボーダー花壇

右：建物近くのやわらかい色のボーダー
左：様々な色の夏のボーダー

❖イタリア庭園の流行

　読者はこの章で紹介するガーデナーが、イタリア風を好んでいることに気づいたはずだ。裕福なイギリス人にとって海外旅行はさらに身近になり、陽光溢れるイタリアのヴィラは特に憧れだった。伝統的な職人芸の作品を置き、イタリア人のように暮らすことはとても魅力的で、イギリス庭園にもイタリア風が再び流行した。

バスコット・パーク（ファリンドン、オックスフォードシャー州）
Buscot Park

　バスコット・パークには、先代のファリンドン卿が残した美術コレクションがあり、ラファエル前派のバーン・ジョーンズやロセッティなど、エドワーディアンの珠玉作品が展示公開されている。フランスでも仕事をしたハロルド・ペトが、ここに見事なイタリア風のウォーターガーデンを作った。これは丘の上の屋敷と湖を結ぶ小径と水

バスコット・ハウス

ウォーターガーデン

上：紫と黄色のダブル・ボーダー花壇、中：ウォールガーデン
下左：愛らしい彫像、下右：ハンプバックド・ブリッジ

第10章 カラースキームの光彩‥エドワーディアンとネオ・ジョージアンの庭

149

路の連続で構成され、階段、橋、通路がツゲと糸杉の生垣で挟まれ、丘から湖へと次第に下っていく。途中、池、テラコッタや彫像でアクセントを置いた、建築的だが、自然に溶けこんだユニークなガーデンだ。

入り口近くには、手入れの行き届いた果樹園とダブル・ボーダー花壇「フローレンツ・ウォーク」のあるウォールガーデンがある。またバスコット・ハウスを起点に、ウォーターガーデンに並行し三本の軸線が放射状に広がり、グーズ・フットを構成している。丘から湖、その先の森の眺めは雄大なパノラマで清々しい。

バスコット・パークはナショナル・トラストに寄贈されたが、ファリンドン卿が強いイニシアティブを握っている。多くのステートリーホーム（貴族の田舎の大邸宅）が、「慰安なく血の通わない形」で公開されていると嘆く彼は、次世代にも楽しめる場所であって欲しいと、古き良きファミリーホームの温かさを保とうと心がけている。

◎ http://www.buscot-park.
◎ http://www.nationaltrust.org.uk/main/w-buscotpark

❖日本の植物と庭園に憧れて：ジャパネスクとミニマリズム

ヴィクトリア朝から大戦前にかけて、ヨーロッパとアメリカでは日本庭園が好んで作られた。これはフランスで流行したジャポニスム〔日本の浮世絵や工芸品等から始まった、日本文化への憧れ〕と深い繋がりがある。例えば、シーボルトの紹介した椿や紫陽花は驚嘆とともに歓迎され、1868年の開国と同時に、沢山の植物収集家が日本にやってきた。ユリ、アヤメ、ヤマブキ、コブシ、ツツジ、ギボウシなどの耐寒

クロード・モネ《睡蓮の池と日本の橋》1899年
プリンストン大学美術館蔵

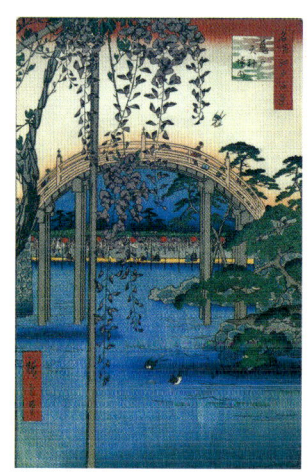

亀戸天神の境内を描いた浮世絵　1857年
（歌川広重『名所江戸百景』より）

性植物は、ロビンソンやジェキルの庭になくてはならない植物になる。

　国際博覧会で日本の建築物が紹介されると、英国の日本建築学会は、生け花や日本庭園の本を出版し、一気に日本文化に対する興味が沸騰した。20世紀に入ると、日本から庭師や建築家を呼び、茶室、太鼓橋や藤棚、灯籠などのある、本格的な日本庭園が作られた（→6章：王立植物園キューガーデン）。

　ところが、日本庭園の不整形で自然風なコンセプトは、非常にロビンソニアンガーデンに類似するため、庭の定義や哲学より美しい石組みや滝、池や流れの方が注目された。従って、灯籠や鶴のブロンズ、四阿や太鼓橋がなければ、日本庭園とロックガーデン、あるいはワイルドガーデンはほとんど見分けがつかない。広い敷地の一つのコンパートメントとして様々な小庭園が凝らされたが、日本庭園もその一要素になり、形式もイギリス風に変化し、多年草を混植し、紅葉や斑入りの樹木を多用した。西洋風日本庭園の最もよく知られた例は、フランス、ジベルニーにある、印象派の巨匠モネの邸宅の太鼓橋と睡蓮の池だろう。

　1960年代からミニマリズムという考え方が、美術や建築、音楽の分野で生まれた。色彩や形、物を最小限度に留めるアートの手法で、日本庭園の石庭は最良の見本とされる。装飾要素を最小限に切り詰めたシンプルな形の庭園を、ミニマリズムの庭園と呼び、この流れに沿って日本庭園は現在再び注目されている。

明治初期に来日した建築家、ジョサイア・コンドルが著した『日本の風景庭園』（1893年）

盆栽を愛好するアイルランド国立植物園園長

▎パワーズコート（エニスケリー、ウィックロウ州、アイルランド）
Powerscourt

　ダブリンの南、風光明媚なウィックロウ州には、壮大なカントリーハウス、その名もパワーズコートがある。ウィックロウ山を借景にした湖と森を眺める丘に、350年

にわたり庭園が営まれた。パルテル、ボーダー花壇、風景庭園など、あらゆる庭園美が堪能出来る壮大な公園だ。

1908年には、ジャパネスクの流行から日本庭園が作られた。グロットーからの流れを誘引し、いくつかの橋と、楓やツツジ、アヤメ、椰子等がエキゾチシズムを誘う。どちらかと言えばロビンソニアンガーデンだが、東洋風の橋や四阿、石庭が、オリエンタルな風情を醸し出し、情報の乏しい時代の憧れと想像が作り出した日本庭園が出来上がった。敷地内には、ピクチャレスク時代の名所パワーズコート滝があり、あまりに素晴らしいので英国王ジョージ4世が帰るのを躊躇したという。また1858年、ディアパークにはニホンジカが放たれた。

◎ http://www.powerscourt.ie/powerscourt-gardens

日本原産のカタクリの白花品はかなり珍しい

パワーズコート　ウィックロウ山を借景にした庭園

パルテル

日本庭園のグロットー

日本庭園

第11章
埴生の宿への憧れ
コッテージ・ガーデン

ライダル・マウント、シッシングハースト城
ティンティンハル・ガーデン、イースト・ランブロック・マナー
アイアンブリッジ渓谷、チルクームハウス
ロウワー・セブラルズ、ドロシー・クライブ・ガーデン
ウォラトン・オールド・ホール

> 黄色き花にとまれる汝を、われ半時間もみつめてありき、
> さても、小さき胡蝶よ、まこと汝は眠れるや、はた、餌をとるや。
> …果樹園のこの地域はわれらのもの、木はわがもの、花は妹のもの、
> 汝のはね疲れなば、来たりてそれを憩わせ、
> 隠れ家のごとく来りてやどれ。…
>
> W. ワーズワース著『胡蝶に』(田部重治訳)

❖ワーズワースのガーデニング:階級間の垣根の崩壊

　中世の作家チョーサーの『カンタベリー物語』に登場する未亡人は、慎ましいコッテージガーデンを持っていた、だが誰も彼女の庭作りに興味を持たなかった。18世紀には、庭園の中に田舎家を作るのが流行したが、あくまでも巨大な庭園の添景としてだった。ところが19世紀になると、階級間の偏見や格差が崩れ、裕福なジェントリーが好んで田舎に住み始めた。ロマンチックな感傷で花を植える人の隣には、生活のために野菜や果物を育てる人がいた。両者の生活に雲泥の格差はなく、ジェ

ワーズワースが暮らしたライダル・マウントのコッテージ(右)と丘からの眺め(左)

ントリーは素朴な村人に中世への憧れを重ね、肉体労働はヒーロー的な仕事だとさえ考えた。

　野菜の育て方を習う代わりに、珍しい種や挿し木を互いに交換し、園芸書籍を貸し出すと、やがて素朴な村人も隣人のように、色彩豊かな庭を作るようになる。彼等の土地は狭かったから、どうしても植物は詰め詰めの状態で花は咲き乱れた。こうして、ロマンチックでしかも有用性あるコッテージガーデンが生まれる。

ワーズワース（1770-1850）

　詩人ウィリアム・ワーズワースは、妹ドロシーとそんな庭を作っていた。自分は、男手の必要な仕事を請け負い、石壁や通路、テラス、椅子作りをし、井戸を掘った。ライダル・マウントのランドスケープを自身で手がけ、傾斜に合わせて自然風の庭を試みている。彼等はランやタイム、オダマキ、フォックスグローブ、スノードロップやデイジーを野辺から移植し、友達からは珍しい外来のヒマワリやシロユリを分けてもらい、村人には力仕事を手伝ってもらった。果樹園にプリムローズやキンポウゲ、スミレ、カタバミなどの山野草を咲かせ、畑では豆をまきながらシェイクスピアの『ヘンリー5世』を大声で暗誦した。冒頭の詩『胡蝶に』にあるように、野菜や花を育てるのはもっぱらドロシーの仕事だった。このようにコッテージガーデニングは、芸術を生みだす契機になったが、これはピクチャレスクと深く結びついていた（→8章）。

ライダル・マウント（アンブルサイド、カンブリア州）
Rydal Mount

　ワーズワースが37年間住まいしたコッテージ。白壁に灰色のスレート葺き屋根には、ツタや薔薇が絡まり理想的な田舎家の佇まいがある。湖水地方の夕暮れと天国の栄光が重なる感動的な詩、『比いなき輝きと美との夕べに作れる』が生まれた裏の丘に登るときは、是非この詩を片手に。
◎ http://www.rydalmount.co.uk/

ライダル・マウントのコッテージ
（1897年の挿絵版画）

❖ 海や空と同じように美しい

　コッテージガーデンの美を発見したウィリアム・ロビンソン（→9章）は、イギリ

スのコッテージガーデンは、「醜さとは無縁で、海や空と同じような美が存在する」と述べた。様々な植物が人の手を経てやってくるから、「デザイン」しない、つまり意図しない偶然の自然美をこう称えた。「まず香りが最初に来るべき」とロビンソンが言うように、もう一つの魅力はハーブや果樹、薔薇などの香りだった。規則や経済力に喘ぐ社会は、貧しくとも縛られず、草花が芳しく繁茂する埴生の宿に憧れたのだ。

　コッテージガーデンに明確なスタイルはないが、大まかに二つのタイプに分けることができる。一つは主要道に面した家で、ヘッジやフェンスで囲んだ狭い玄関前の庭と、広々としたバックヤードがある。花だけを植える狭い前庭はフォアコートと呼んだ。窓辺には手入れの行き届いた鉢植えを置く場所があり、しばしば出窓形式になっていた。バックヤードには、野菜や果物、堆肥置き場などがある。

　二つ目は、道に面していないコッテージで、ツタや蔓薔薇、常緑樹などでアーチ門が作ってあり、前庭の中央から玄関に向かって小径があった。通路の両脇には花のボーダー花壇があり、その後ろに野菜が整然と列をなして従う。窓際にも花壇があり、堆肥や豚小屋は裏庭に隠した。また林檎の木が日なたにあり、壁をクレマチスや薔薇、ツタが覆った。蜜蜂の巣がいくつか並び、池や井戸もある。コッテージという宝箱からは、絶滅寸前だった八重のプリムラやピンク（ナデシコの一種）などの古い園芸種が再発見され、建物は田舎家風建築のお手本になった。

　F. トンプソン著の『ラークライズからキャンドルフォードへ』から、当時のコッテージガーデンの実際の姿を見てみよう。

「彼女はその庭に行ったことがあったけれども、5月は初めてだった。林檎の花が咲き、ウォールフラワーの香りが辺り一面に充満していた。
　黄水仙、オーリキュラ、ワスレナグサなどで混雑したフラワーボーダーが、高く積み上げられた堤に支えられ、その間を小径が庭のあちらからこちらへと導いた。曲がった一本道は、庭の中ほどにあるハシバミの木陰の大地のクローゼットへと連れて行き、もう片方は、野菜畑と蜜蜂の巣がある草地へと導いた。二つの庭の間は、見通しのきかない灌木の小さな森になっていて、シダやホルト草、ナルコユリが咲いていた。この長いとても閉鎖的な草地はいつでも湿っていた。無用な場所だ、きっと腕に自信あるガーデナーならばそう言うだろうが、喜ばしく涼しい緑の陰地になっていた。
　家の近くには、花に捧げつくした場所があった。それは花壇仕立てでなく、不規則な方形をしていた。半ば野生化したように繁茂し咲き乱れ…まるでその込み合ったひとかたまりは、未完の完成品のようだった。」

❖シッシングハースト城：シンプルからラグジュアリーへ

　エドワーディアンになると、不整形庭園の理想像としてのコッテージガーデンが定着し始めた（→ 10 章）。「ヒドコートをコッテージガーデンと呼ぶには、あまりにも大きすぎるだろうか？」と、詩人、小説家、そしてガーデナーのヴィタ・サックヴィル＝ウェストは問いかける。実際、4ha の庭園は、質素なコッテージガーデンとは言い難い。けれども彼女はこう続ける。「コッテージガーデンに似ている、いや、むしろ幾つものコッテージガーデンが連なったものだ」と。

　花の咲いた低木が薔薇と絡み合い、草本類が球根類と混植され、蔓性の植物が生垣をのり越えて行く。好きな所からこぼれ種が芽吹き、おびただしい数の花があちらこちらから顔をのぞかせる。そんなヒドコートは「偶然の贅沢さ」で溢れ、これこそがコッテージガーデンの真髄だと彼女は考えた。もし花で溢れた庭がコッテージスタイルならば、ヒドコートはラグジュアリーな次世代のコッテージガーデンだと。実は、ここに魅了されたサックヴィル＝ウェストこそが、ナショナル・トラストにその存在意義を推薦した人物だった。

　女王エリザベス 1 世も訪問した荘園シッシングハースト城は、300 年間住む人もなく荒れ果てていたが、森や畑、美しい流れの穏やかな景色は、そのまま絵画のようだった。サックヴィル＝ウェストは、1930 年代からここに庭園を作り始める。外交官だった夫のハロルド・ニコルソン卿が赴任した中東の面影、つまり囲われた楽園のイメージを重ねながら、「偶然の贅沢さ」を自らも追求した。第二次世界大戦後の社会変革によって安い労働力が失われ、戦前のような庭園を作れなくなったため、シッシングハーストは、アーツ＆クラフツスタイル庭園の最後の金字塔になる。

シッシングハースト　ホワイトガーデン（左・右下）と塔からの眺め（右上）

シッシングハースト城（クランブルック近郊、ケント州）
Sissinghurst Castle

　サックヴィル＝ウェストは、シッシングハーストについて、ロマンチック、繁茂する、コッテージっぽいという三つの言葉を繰り返し使う。塔に上ると全体像が見渡せるが、赤い煉瓦や生垣に囲い込まれ、いくつにも別れた部屋は、ローズガーデン、ハーブガーデン、コッテージガーデン、果樹園など様々なコンセプトに分けられている。互いの境目には彫刻や壺などを置き、添景、仕切りとしてのアクセントにした。草本類中心だから、フレームワークはとても大切だ。どの庭からも広い果樹園が眺められ、狭い空間から突然のヴィスタが開けたり、溢れる色彩のボーダー花壇や、優しいトーンの山野草の草むらなど、様々な驚きと発見が展開する。

　なかでも白い花とシルバー（ジェキルはグレイと呼んだ）リーフだけが咲き競う、ホワイトガーデンは有名だ。中央の鉄製アーバーを、白の蔓薔薇ローザ・ムリガニー（*Rosa mulliganii*）が覆って天蓋を作っている。サックヴィル＝ウェストは、この庭は「夜の帳を裂いて飛ぶバーンアウルの白い亡霊のような姿により完成する」と言った。バーンアウルとは、古い納屋に巣を作る白色のフクロウで、お面を着けたような不思議な顔をしている。月光に映える白い花の中をフクロウが飛べば、幽玄の美学が完成する。

　最初に一般公開されたのは1938年だったが、筆者の友人は、1960年代家族とピクニックに行った記憶があるという。当時は長閑にも、入り口に掛かる籠にコインを入れて自由に出入りしたそうだ。1967年からナショナル・トラスト所有。夏はとても混雑する。

◎ http://www.nationaltrust.org.uk/sissinghurst-castle/

ティンティンハル・ガーデン（ヨービル、サマーセット州）
Tintinhull Garden

　ティンティンハルは、古きよき英国庭園の面影をよく留める。17世紀の荘園だが、小さなフォーマルガーデンは20世紀初めに作られた。これをレイス夫妻が30年試行

ティンティンハル・ガーデン　ロッジア（左）とボーダー花壇（右）

ティンティンハルの邸館

錯誤を重ねて、調和のとれた屈指の中規模庭園に仕上げた。イタリア風のロッジア（涼み回廊）の前にある長方形の池、その双方にボーダー花壇があり、片方は強い色彩の暖色系に、片方は柔らかいパステルカラーにまとめてある。
　魅力的なキッチンガーデンや森の散策路もあり、羊がのんびりと草を食む果樹園の中に駐車場があるのもいい。
◎ http://www.nationaltrust.org.uk/main/w-tintinhullgarden

❖ ウイ・メイド・ア・ガーデン：庶民のガーデニング
　英国のタブロイド紙『デイリーメール』の編集者だったフィッシュ夫妻は、第二次世界大戦が激しさを増すなか、ロンドンからサマーセット州の、いばらと雑草、がらくたの山だったイースト・ランブロック・マナーに引っ越した。

　「主人は田舎に家を買う決心をした。友人はこぞって私達が明日にでも生活を始められる、体裁のいい家と庭のついた物件を買うものと思った。しかし、我々がみすぼらしい古いあばら家と、庭の代わりに荒れ放題の場所がついた家を選んだと知ると、ずいぶん気のどくがった。特に荒れた庭に同情が寄せられた。家を修繕するのは結構楽しいに違いない。でも、一体どうしたら二人のロンドン子がこのがらくたの山から庭を作り出すことができようと噂した。」

　　　　　　　　　　　　　M. フィッシュ著『ウイ・メイド・ア・ガーデン』

　二人ともガーデニングはおろか、田舎とも無縁だった。夫のウォルターは退職する50代半ばまで庭師を雇った経験しかなかったし、40代のマージョリーも似たようなものだった。しかし17年後、失敗と成功の経験談を出版するやいなや、イースト・ランブロック・マナーガーデンは大人気を博す。

　「ウォルターと私は、庭作りに関して二つの鉄則を設けた。まず家と同じように中庸で控えめ、曲がった通路と思いがけないひと隅がある、本当のコッテージガーデンであること。手入れが簡単であること。」　　　　　　　　　　　　　『同上』

　ヒドコート・マナーもシッシングハーストも、プロの庭師を雇っていた。しかしフィッシュ夫妻は、家庭的な規模の庭園を自分達で維持管理した。これは庶民が始めて共感出来る庭の登場だ。ガーデニングは金持ちだけの余暇ではない。誰でも出

来る素晴らしい趣味だと夫妻は教えてくれた。

「植物はフレンドリーな被造物で、互いの同席を楽しんでいます。コテージガーデンで込み合って植わっている植物は、よく育ち幸せそうに見えます。壁や生垣のスクリーンで道路から守られ、キャベツやリークを後ろに控えて気持ちよさそうにしています。パンジーやワスレナグサは、フサスグリの茂みの下で花を咲かせ、ナスターチウムは人参の間でふざけ、古い林檎の木はようこそと影を落としています。」
M. フィッシュ著『コッテージガーデン・フラワーズ』

フィッシュ夫妻は物質と経済的充足だけでは満足しきれない人々に、等身大の田舎暮らしの素晴らしさを実践して見せ、第二の人生の豊かな過ごし方を提案した。「この20年間、私は小さな村に住んでいます。そして例外なしにいちばん嬉しいのは、お花のプレゼントです。…私たちが村に引っ越したばかりの頃、まったく知らない私のために赤いチューリップの花束を庭から摘んで来てくれた女性のことは、忘れることができません。彼女はとても小さなコッテージに住んでいました。見ず知らずの村に現れたロンドナー（ロンドンの人）のために、これほどたくさんのチューリップを摘むことは、どんなに大きな犠牲だったでしょう。」　『同上』

　美しい伝統が田舎から無くなるのではと、マージョリーは戦後の近代化を憂いたが、夫妻の示した雛形は、この危機を乗り切る原動力にさえなった。
　現在、コッテージガーデンの主役達は、フィッシュ夫妻のような退職者や農家だけではない。ウィークエンドを楽しむ都会人、子供の教育をのびのびしたい若い家族、アーティストや執筆家、クラフトマン、グリーンツーリズムや有機農業を目指す人、ビオトープを作って自然を保護したい人、古い建物を修復する人などなど千差万別だ。今や昔懐かしいコッテージガーデンは、未来志向のサステイナブル（持続可能）な生き方を社会に提示する、時代の先端を行く。

■ イースト・ランブロック・マナー（サウス・パサートン近郊、サマーセット州）
■ East Lambrook Manor

　のんびりとしたイースト・ランブロック村の中ほどに、イングリッシュコッテージガーデンの故郷として、マージョリー・フィッシュ・プラントナーサリーがある。もちろんコッテージプラント専門のナーサリーだ。
　庭園はフィッシュ夫人の著書を参考に修復され、在りし日を偲べる。銀葉種の植物

イースト・ランブロック・マナー
左：シルバーガーデン、中：フィッシュが好きだったアストランチア、右：ガーデンに憩う猫

を集めたシルバーガーデン、小さな流れのディッチ（水路）ガーデンなど自由な感じがいい。夫妻が住んだ家はギャラリーになり、ローカルアーティストの作品も楽しめる。
◎ http://www.eastlambrook.co.uk/pages/site.php?pgid=1

❖広がるコッテージガーデンの世界

　世界で最初に産業革命に突入したイギリスは、富と繁栄の見返りも経験した。例えばトールキンの小説で映画化され、大ヒットした『指輪物語』のモルドール、冥王サウロンが支配する悪の国のアイデアは、19世紀英国の工業地帯の姿だった。

　シュロップシャー州のアイアンブリッジは鉄鋼産業のメッカだったが、往時はモルドールの如く谷川の木々は伐採され尽くし燃料となり、禿げ山が延々と続いたという。溶鉱炉からは24時間紅蓮の炎が吐き出され、空を焦がす赤い闇は遥か先の町からも見えた。ジョン・ラスキンは、この空を見て地球温暖化を予測している。アーツ＆クラフツ運動は産業革命への抵抗や反省から生まれ、英国の田園嗜好の根源もそこにある。グローバル化の波がどんなに激しく洗おうとも、大地の収穫の大切さ、花を育てる喜びはエデンの園以来何も変わらないことを教えている。

　イギリスのコッテージガーデンに踏み入ると、不思議に祖母の庭、近所からもらった薔薇や花が、葡萄棚や柿の木、ミョウガや三つ葉と同居する風景を思い出す。質素で慎ましく穏やかだった日本の田舎の庭もまた、コッテージガーデンだった。

　コッテージガーデンとは定まったスタイルではない。温かい埴生の宿への普遍的な懐かしさと憧れなのだ。便利さと快適さを優先した、現代社会へのチャレンジでもある。田舎は地の果てではなく、新しい物を生み出す中心地、豊かな土壌、優しい苗床であることを慎ましく教えてくれる。

アイアンブリッジ渓谷（アイアンブリッジ、シュロップシャー州）
Ironbridge Gorge

世界初の鉄橋、コールブルックデール橋（通称アイアンブリッジ）が架かるセヴァーン川の渓谷。ユネスコの世界遺産に登録されており、「ヨーロッパ産業遺産の道」のアンカーポイントの一つだ。かつてセヴァーン川はブリストル海峡まで続く主要河川だった。渓谷には石炭、鉄鉱石などの原材料が豊富にあり、海まで製品を運ぶのに便利だったから、コッツウォルドとは対照的に工業化の道を辿った（→10章）。その時代も去った現在は、落葉樹林に囲まれた静かな渓谷で、かつて紅蓮の炎を吐き出した煙突が林立した面影は全くなく、可愛いらしいティーハウスやB&Bが並ぶ観光地になっている。

◎ http://www.ironbridge.org.uk/

アイアンブリッジ

アイアンブリッジの町

チルクームハウス（ドーセット州）
Chilcombe House

40年間英国在住のアメリカ人抽象風景画家、ジョン・ホバート氏は、古い農場だった自宅のチルクームハウスで、ガーデンデザイナーとしての才能も発揮し、知る人ぞ知る庭園を作り上げた。

この庭は海岸から4kmほど登った丘陵地、一般道から離れた農地にあり、遠くに海が霞んで見える。灰色の石壁のファームハウスに辿り着くと、低い石垣の門がある。ガーデンは家を囲むように南面の坂に張り付いていた。庭園は風を避けるため、高い生垣で四角く区切られ、それぞれの部屋には、淡い色彩の花のタペストリーが広がる。カラミントやゴーツルー、スイートピーなどなど、明らかに注意深い配置だが、リラックスした優しさが溢れ、風に揺れる姿は夢のようだ。小さな果樹園には、「ランブリングレクター」等白い蔓薔薇が、ありったけの花を惜しげも無く投げ出す。

庭の壺や置物も品がよく華美すぎない。濃い緑色の壁を纏った華やぎは、静寂に包まれている。ジェキルのカラースキームでは、植物の色彩をアーティスト・パレットと呼ぶが、ホバート氏のパレットから生まれた絵画は、さしずめ「夏の朝のまどろみ」だろうか。淡いパステルカラーが優しく風に揺れる。イギリスのコテージスタイル

チルクームハウス
左上：丘陵の先には海も見える
左中：日時計を飾るイブキトラノオ
左下：薄紫のキャットミント、マツムシソウなどが基調のボーダー花壇

右下：茶色の鉢に映えるダイヤーズカモミール

は月々、年々変化し、瞬きする間に移ろう。二度と同じ絵が見られないのがその魅力なのだ。一般には非公開。

ロウワー・セブラルズ（クリューカーン、サマーセット州）
Lower Severalls

　サマーセットで採石する蜂蜜色のハムストーンで建てられた18世紀の農家。1929年以来、プリング家が農場を経営している。娘のメアリーが1985年からナーサリーをはじめ、専門的で多岐に渡る苗を扱うことでよく知られる。インフォーマルなコテージスタイルの、素晴らしいガーデン。宿泊も可能。
◎ http://www.lowerseveralls.co.uk/

ハゴロモソウの縁取り

ロウワー・セブラルズ
右上：窓辺を飾る黄色のゴールデン・ウィングズ
右下：ハーブが香るパティオ

❖ コッテージガーデン協会とバーミンガム・フラワーショー

　ロンドンのチェルシーフラワーショー以外にも、素晴らしいショーがあちこちで開催される。王立園芸協会主催のバーミンガムフラワーショーもその一つだ。イギリスBBC放送の人気番組のライブがあり、テレビでお馴染みのセレブのガーデナーが一堂に会して、ガーデンデザインやナーサリー、植物協会、植物画などのコンテストが開かれる。普段はポーカーフェイスのイギリス人も、フラワーショーでは思わず口元がほころぶ。ガーデンデザインは、毎年新しいアイデアが登場するが、たいていのデザイナーは国民的な共通表現「コッテージのような」という言い回しで、繁茂する優しい花々のディスプレイを説明する。

バーミンガムフラワーショー　左：シリアルガーデン、右：農業大学の野菜とハーブガーデン

「コッテージガーデンに厳しいルールはないが、インフォーマルで多様な植物に溢れるのが、このスタイルの特徴といえる。つまり色彩が豊かで、香りに溢れ、蜜蜂や鳥、蝶々が飛び交う。もちろん果物、ハーブ、野菜、カエルやハリネズミの存在は言うまでもない！ 我々のブース、NP35 のコッテージガーデン好みのカラフルな展示を見に来て、経験豊かなメンバーに声をかけて下さい。」これはイギリスコッテージガーデン協会のショーの説明だ。筆者は会員の一人として、出展ブースでガーデニングに関する質問の受け答えを何度か手伝った。

◎ http://www.thecottagegardensociety.org.uk/

❖ バーミンガム・フラワーショーのショーガーデン
　最近、地球温暖化と夏の乾燥のため、水やりをしなくてもよいオーナメンタル・グラスが注目されている。イグサやカヤツリソウなどが人気だ。自然景観を庭に再現出来て手間いらずだから、忙しい現代人の心を捕らえている。
　その名も「シリアルガーデン」は、30 年間農業をした女性がデザインし、大麦、小麦、オートムギが主役だった。「車窓に映る麦畑をもっと身近に感じて欲しかった。散歩の途中に"あっ、パン小麦だ！"と気づいて欲しいの。農家の苦労に感謝しながら、食卓を囲んで下さい」とはデザイナーの言葉。
　同じ年最優秀賞に輝いたのは、シェイクスピア生誕地トラスト出展のコッテージガーデンだった。コッツウォルド風の藁葺農家、蛇行したアプローチにはナデシコやヴィオラなどの小さな花の洪水。一方には野菜とハーブの小径もあった。

シェイクスピア生誕地トラストのショーガーデン

籐細工の馬のディスプレイ

ドロシー・クライブ・ガーデン（ウィロウブリッジ、シュロップシャー州）
The Dorothy Clive Garden

　近隣の名士ハリー・クライブ大佐は、パーキンソン病に悩む妻ドロシーのリハビリにと、彼女が散歩出来る庭を 1940 年作り始めた。2 年後に妻は他界したがその後も庭を作り続け、晩年には妻の名前を冠したトラストを設立する。1963 年に亡くなったが、二人の愛の記念園は歳月を経て完成の域に達していた。

インフォーマルなガーデンは、様々なパートに分けられている。かつて砂利の採掘現場だった窪地は、見事なシャクナゲとツツジの谷だ。またキングサリのトンネル、水仙とツツジの小径、美しい宿根草のボーダー花壇、アルパインガーデンなど、見所満載だ。春の水仙から秋の紅葉まで、その多様性、新品種の導入の見事さなどは、イングリッシュ・フラワーガーデンの真骨頂といえる。

ドロシー・クライブ・ガーデンズ
左：キングサリとアリウムの小径、右：友人とティータイムへ

　ドロシー・クライブの特徴は、ガーデン近隣の人々に愛され、「今日はドロシー・クライブにでも行きましょうか？」と、家族連れ、友達連れがゆったりと時間を過ごす場所になっていることだ。そのためメンバーシップ制度があり、年会費を払えば何度でも足を運べる地域密着型だ。ウィロウブリッジ・ガーデントラスト所有。
◎ http://www.dorothyclivegarden.co.uk/

ウォラトン・オールド・ホール（ウォラトン、シュロップシャー州）
Wollerton Old Hall Garden

　過去25年の間イギリスで作られた庭の中で、おそらくもっとも美しいだろうと言われる。16世紀の邸館を購入し、1984年から庭作りが始まった。アーツ＆クラフツ運動の伝統を活かしながらも、現代的な庭園に仕上がっている。

　1.6haの敷地はフォーマルな小部屋に分けられ、ヘスタークームを彷彿とさせる流れがあるリルガーデン、修道院の中庭に似たフロントガーデン、ランハイドロックと名のついたホットカラー（赤やオレンジ）のハーベーシャスガーデン、エリザベス朝を思い起こさせるサンダイヤル（日時計）ガーデン、最新のイングリッシュローズが咲くローズガーデンなど、まるで庭園史を駆け巡っているよう。ローズガーデンの洒落た四阿からは、長閑な田園の眺望が開ける。最後尾のクロフトガーデンは、自然とブレンドインするように、蛇行した小径のインフォーマルガーデンだ。一年中見所がどこかにあり、珍しい植物も常に導入されている。

　入園日は限られるので、よく調べて。
◎ http://www.wollertonoldhallgarden.com/

ウォラトン・オールド・ホール
右上：ホールの正面、右下：薔薇のつたう壁
左上：フロントガーデン、左中：白藤のリルガーデン
左下・左：赤が基調のランハイドロックガーデン
左下・右：コンパートメントに分けた生垣の通路

❖「weathering（ウェザリング）」と「鄙びた（ひな）」

　ガーデニングは日々進化するアートだが、同時に風雪と時間が完成させる。人知を超えた自然の変化にこそ、その面白さがある。例えば何百年も経たガーデンファーニチャーは、苔むした味わいある落ち着いた雰囲気を醸し出し、これをウェザリング（風雪に晒す）と呼んでいる。またイギリスのコッテージには、何とも言えない鄙びた愛らしさが漂う。これまで述べたように、このイギリス人好みの「侘び寂び」に似た美学は、出来立てほやほやのガーデンを良しとしない。年々変わって行く風情を季節の営みとともに、噛み締め味わう五年後、あるいは数十年後に訪れ、以前とすっかり変わった風景を愛でる。大地に根ざした地道だが芳醇なアートだ。イングリッシュガーデンの醍醐味は、ここに尽きる。

【エピローグ】
イングリッシュガーデンを作る人々

コーンウォール地方：トレスコ・アビー・ガーデンズ
スタッフォード地方：カースルヒル、ミルフォード、ザ・ヴァナーズ

> 良いガーデナーとは、働きと愛さえ与えれば、
> 神様がこれを増して下さるという絶対的な信頼を持っている。
> …あたかも恵み深い神が「良くやった良い働き人よ」と満足げに語りかけているような、
> その素晴らしい成果によって、彼等は新たな働きの自信と勇気をえるのだ。
>
> G. ジェキル著『森と庭』

❖生涯をかけたチャレンジ

　庭師達と一緒に大地に汗したガートルード・ジェキル（→10章）の、靴先が開いてしまった愛用ブーツの絵が残されている。仕事のパートナーだったエドウィン・ラッチェンスが製作を依頼したのだが、ジェキルの人となりを余す所なく伝え、まるで肖像画のように、エデンの園への渇望を静かに語りかける。

　時の経過に従って、イギリス庭園の変遷を眺めて来たが、読者はイギリス人の情熱の凄さに気づいただろうか。土に親しむ事で私たちは、豊かな精神性や他者との繋がりの大切さ、何よりも自然の大きな力、育てる喜びを学ぶ。ちょうど『秘密の花園』のメアリーが、ガーデニングを通して庭仕事以上の何かを学んだように。

　21世紀になっても荒れ地は人の心に、大地に際限なく広がるかに見える。しかしガーデナーにとって新たなチャレンジが眠る「荒れ地」ほど、心躍る景色はない。それは敬虔で素朴な中世の人々が、楽園の回復のため祈りとともに汗した姿に重なる。勤勉と情熱、忍耐力で成し遂げるのは、何よりもエレガントで喜びに満ちているとイギリス人は信じる。キーワードは三つ、フロンティアスピリット、

《ジェキルのガーデニングブーツ》
W. ニコルソン画　1920年　ロンドン、テート蔵

ゴーフォアーイット（目標に向かって進む）、ネバーギブアップ（諦めない）だ。

　荒れ地と言えば、いかにもイギリスらしい社会運動に、「ゲリラガーデニング～境界線のない庭作り」というのがある。名前は物騒だが、スラム街や都会の空き地、荒れ地を一夜にして花畑に変える「花咲かじいさん」のゲリラ部隊だ。花が咲いている場所に人はゴミを捨てないし、花を見ると心に潤いが生まれるから、都会の住環境を改善出来るというコンセプトの、静かな抵抗運動だ。具体的には、こっそり球根を看板の足下に植えたり、雑草だらけの街路を一夜でラベンダーの生垣にしたり、ヒマワリの種を道路の緩衝帯に播いたりする。青年が一人で始めたのだが、やがてNPOとなり、チャールズ皇太子のカミラ夫人も参加したことがある。現在では、世界中に賛同者の輪がどんどん広がっている。

　歴史を振り返れば、イングリッシュガーデンは世界の植物と庭園スタイルのアミューズメントパークのようだ。異文化を受け入れ、自分達流に昇華するという島国独特の資質がこの文化を育んだ。マイナスイメージが付きまとうグローバリゼーションのポジティブな側面であり、カルチュラル・ファーティリゼーション、つまり異文化交流による文化の熟成と肥沃化が齎す相乗効果の、最も美しい例だ。

　イギリスのセレブ・ガーデナーでTVプレゼンター、モンティー・ドンは、「ガーデニングとは、結局それを作った人の物語だ」という。創造者が、青写真がなければどんな庭も存在しえないから、この本も結果的に様々な人のプロフィールのようになった。多品種が自由に繁茂し、季節ごとに思いがけない発見があるから、十人十色の庭園が生まれる。個性を重んじる彼らは、唯一無二の庭を作りあげ、互いの違いを愛でるのだ。いつの時代も、生涯をかけた土との日々の格闘が、大地とのコラボレーションを生む。こうして先の世代の遺産は、次の世代へと引き継がれ、素晴らしい贈り物になる。目まぐるしく変転を続ける世界からしばし離れ、自然の中に平安を見いだし、その創造の作業に加わる時、都会だろうと大自然の中だろうと、「静止の一点」に立ち戻る。つまり、混沌たる世界にあっても、四季は廻り、自然が与える実りは変わらないという素朴な事実を、庭園は教えてくれるのだ。冒頭の聖書の言葉通り、「種蒔きも、刈り入れも…やむことはな」く、季節から季節へと連綿と続き、「働きと愛さえあれば」太古の時代にも我々にも、喜びと楽しみを平等に与えてくれる。

　では、最後に筆者の想い出深い地方とガーデン、現在のイングリッシュガーデンのガーデナー達を紹介して、旅の締めくくりとしよう。

❖コーンウォール：コッテージライフの真髄

　ショップに野菜を卸しているマーケット・ガーデナーのクラレンス爺さんは、70歳をとうに超えていたが、天気ならば毎日村の外れに在る畑まで出かけて行く。吊りズボンにパイプを燻らし、鋤を片手に歩いている姿は、古いセピアの写真を見ているようだった。

拙著『イングリッシュハーブガーデン』

　1990年代はじめ、筆者は古き良き英国が残る、南西端コーンウォール州のナンスタロン村で、約300年前に建てられたマイナーズ（鉱山労働者）コッテージに住み、ガーデニング、植物画と英国風フラワーアレンジメントを学んだ。日々の生活の中で最も感銘を受けたのは、彼等の豊かなカントリーライフだった。

　庭の小さな鉢植えから田園の遥か先まで、ピクチャレスクな風景が広がっていた。思い思いに野菜を育て果物を作り、花が溢れる村には、生涯州から出たことがない生粋のコーニッシュ（ケルト系コーンウォール人）が住み、隣にはロンドンから退職した証券マンがいた。ニューヨークやパリで大評判の陶芸家は、先祖伝来の

コーナーコッテージとオークの木
（筆者の住んでいた家）

筆者の暮らしたナンスタロン村の風景

エピローグ：イングリッシュガーデンを作る人々

169

左：玄関先にも春の気配が（コーンウォール州ボスカースル）
右：ティンタージェルの海岸

　鉄砲鍛冶職人と隣人で、都会からUターンした若夫婦は、貴族の称号を持つ押し花作家の近所で田舎暮らしを満喫していた。ここでは豊かさの基準は物質的充足や経済力ではなく、クオリティー・オブ・ライフ、スローライフだった。春には水仙、初夏にはブルーベルが咲き、秋はブラックベリーが実った。地域全体がガーデンのように綺麗で驚いたが、それ以上に衝撃的だったのは、「田舎は末端神経ではなく、何かを生み出す心臓部だ」と彼等が考えていた事だった。

　ナショナル・トラストが海岸線を保護し、建築物を禁止しているから、どこに行っても美しい。また小さく愛らしいコッテージが連なる村々は、何故か懐かしさを誘う。アーサー王伝説の村ティンタージェル、半島南の保養地フォーイ、ファルマス、魚料理で名高いパドストゥ、セント・マイケルズ・マウント（→3章）が見えるペンザンス、州都のトゥルーロー、そして、民芸運動に尽力した陶芸家、濱田庄司が

石壁まで花でいっぱい（コーンウォール州）

上：ブルーベルの森
下：村のおばあちゃんのブーケは1束15ペニー

グリーンコッテージの秋（コーンウォール州）

バーナード・リーチと築窯したセント・アイヴスなどがある。

　名物は濃厚なクロッテッド・クリームとジャムを、スコーンに挟んで紅茶と一緒に頂くクリームティーで、夏には「クリーム・ティー」の手作り看板が、民家の庭先に出て、にわかティーハウスがお目見えする。

トレスコ・アビー・ガーデンズ（シリー諸島、コーンウォール州）
Tresco Abbey Gardens

　コーンウォール半島の先端、ケルト海にあるシリー諸島は、北海道北部とほぼ同じ北緯49度にもかかわらず、温暖なメキシコ湾流のために、平均気温が7度から17度と常春の地だ。花崗岩質の白亜の砂浜が目映い諸島には、有人の島が5つあり、本土では温室でしか育たない亜熱帯性や半耐寒性植物が繁茂している。特にトレスコ島では、世界に類を見ないマイルドガーデン（温暖を好む植物の庭園）が生まれた。

　この庭を始めたのはオーガスタス・スミス、1804年に銀行家の息子として生まれた。彼の希望は社会に貢献する事だった。シリー諸島は貧困と飢えに苦しんでおり、若者は仕事がなく、子供はやせ衰え、老人は惨めだった。だが、エメラルドグリーンの海に浮かぶ島は魅力的だから、島民に仕事を教えれば豊かで喜びに溢れた理想郷を築け

人なつこいロビン

るとスミスは確信した。当時の皇太子から島を借受け、1834年に大改革を始めた。法制化される40年も前に、島の子供に義務教育を施し、密輸で生計を立てるならず者は刑務所送りにした。その独裁ぶりについたあだ名は「皇帝」で、反対者に舟の舳先に括り付けられ、あわや命を落としそうにもなった。

　だが、彼は怯まず信念を貫き、トレスコ島に館を建設し雇用を創出した。南向きのスロープに壁を廻らし風を防ぎ、生活に必要な家畜や野菜を育て、中世の修道院跡にガーデンを作った。島の気候にあう植物を見つけようと、キューガーデンに交渉し種や挿し木を送ってもらうと、オーストラリア、ニュージーランド、南アフリカ、南米と、世界中で発見された植物が次々に根付いた。この頃、ヴィクトリア女王もアルバート公と一緒に、非公式に島を訪れている。

　1874年には甥のトーマス・アルジャーノンが妻と移り住んだ。別の島でカリフォルニア産の松が嵐に堪えて成長するのを見つけると、これで防風林を作った。植物の成長は、これで勢いづく。20世紀に入ると、夫妻の息子が世界中に植物蒐集に出かけ、キューガーデンの季刊誌には、トレスコ育ちの新種が次々と紹介されるようになる。一方村人達は水仙栽培を学び、全国規模のフラワーショーで受賞するまでになる。無

トレスコ・アビー・ガーデンズ　左：黒法師の花、右：エキウムの紫の花　　　　トレスコ島の南国のような日差し

法者たちは、優秀な花卉栽培農家やガーデナーとして名を馳せ、島々は温暖な気候を活かし切り花産業のメッカになった。島民を貧困から救うというオーガスタス・スミスの夢は、世代を超えて叶えられたのだ。

　現在シリー諸島は憧れの保養地で、トレスコ島は世界80カ国からの植物が咲き乱れる楽園になっている。プロテア、バンクシア、ユッカ、ツツジやシャクナゲ、アガパンサスやアカシア、スペイン領マデイラ諸島のゼラニウム、カナリー諸島のエキウム、黒法師など、おびただしい数のエキゾチックな植物が繁茂する。巨大な椰子の木の下には、アガベ、アロエ、そしてバード・オブ・パラダイス（極楽鳥花）が身を寄せる風景は、ここでしか見られない。トレスコアビー・ガーデンは、グローバリーゼーションの恩恵に浴し、気候風土を活かした、世界でも類のないガーデンの一つになった。「ローマは一日にしてならず」夢は繋がなければならないと感じさせる。

　シリー諸島は渡り鳥の休憩地で、まるでエデンの園に迷い込んだように小鳥が飛び交うが、古来幾千の舟が座礁した海の難所でもあった。園内のバルハラミュージアムには、流れ着いた舟の船首彫刻が展示してある。バルハラとは、バイキングの黄泉の国だ。アンティークな服装の男女、兵隊、鳥等の彫刻が、今にも出航しようと前方を見据える姿に、不可思議な感動を覚える。

　シリー諸島へはペンザンスからのヘリコプターまたはフェリーで。

◎ http://tresco.co.uk/what-to-do/abbey-garden/default.aspx

オーガスタス・スミスの建てた館

イギリスとは思えない、林立する椰子やユッカ

エピローグ：イングリッシュガーデンを作る人々

173

❖スタッフォード地方：友人達のガーデン

　スタッフォードシャー州は、英国中央部・ミッドランドに位置し、州境の南には大都市バーミンガムが控える。現在は豊かな田園地帯だが、産業革命時代、ここは工業地帯だった。ウェッジウッドで有名なストーク・オン・トレント周辺は、陶磁器産業のメッカで、遠く日本にも輸出された。そのため運搬用のカナルと呼ぶ運河が縦横に巡らされ、現在はのんびりとした舟旅を楽しめる。中世には広大な御猟場だったカンノックチェイスには、野生鹿注意の道路標識があり、トールキンの小説『指輪物語』に登場するエルフの森のモデルにもなった。ここではサイクリングやウォーキング、乗馬を楽しめる。

　小高い丘に位置するアボッツ・ブロムリーは、この地方独特の白と黒のハーフティンバーで出来たエリザベス朝の建物が多く残る、古い市場村だ。中世から続くホーンダンスという鹿の角で踊るお祭りが有名で、その起点、1000年以上の歴史を誇る聖ニコラス教会には、祭りで使う鹿の角が奉納されている。

　湖水地方に並び称されるピーク・ディストリクト（→8章）は、ダービーシャー州にまたがる風光明媚なリゾート地で、ピクチャレスク時代より親しまれた。スタッフォードシャー州は国際的な観光地ではないため、もの静かで落ち着いた、いわゆるジェントルマン、ジェントルレディーのもてなしを堪能できる。

　筆者は2004年から州都スタッフォードに住み、庭園史、植物学、風景画の知識を深めた。ここでは、「園芸の民」裾野の広さを知るために、一般家庭の庭園を紹介する。

アボッツ・ブロムリー　鵲（かささぎ）建築のパブ

スタッフォードシャー州、ブリスベーン・レザボア

✤ カースルヒル（スタッフォード、スタッフォードシャー州）

　ヴィクトリアンのタウンハウスだったカースルヒルは、中世の城塞スタッフォード城の近くにある。シデの生垣のアプローチを過ぎると、右手に赤煉瓦の瀟洒な家が現れる。広いフォアコートの奥には、ヴィクトリア期には馬と馬丁が住んだステーブルコッテージがあり、筆者はここに住いした。奥には大家のバリー・リス氏が、長年木を植え続けた落葉樹の森と池があり、リス夫妻のペットのアヒルが棲んでいた。リスやキツネ、野鳥も訪れ、町中とは思えない豊かな自然が溢れる。池の手前には、エレガントなヴィクトリアンの温室とマリアン夫人の薔薇園があり、広い芝生は球技を楽しめるほどの贅沢な空間なので、時に公園と間違って人が迷い込むほどだ。

　夫人はヴィクトリア朝風のガーデニングが好みで、1年の植栽計画はきちんと決まっていた。ハンギングバスケットは、フクシアと宿根ベゴニアで明るく、古い石のアーンのペチュニアやロベリアが花束のようだった。玄関前の花壇は、ナチから逃れ英国に亡命した母親に捧げられていた。母が遺したジニア（百日草）の種は、毎夏咲き誇り、庭のアーバーには、彼女が好きだったトーントン・ワイルダー『サン・ルイ・レイの橋』の言葉が刻まれている。

　　　生きる者の地と死ぬ者の地がある、その架け橋は愛だけだ。

カースルヒルのジニアの花壇（手前）
右上：ハンギングバスケット
ペットのアヒル

✤ ミルフォード（スタッフォード、スタッフォードシャー州）

　アシュトン夫妻が大きな窓のあるバンガロー風の家に引っ越した時、庭には何一つなかったという。今では、前庭には何本かの落葉樹があり、玄関の屋根には蔓薔薇がしなだれる。バックヤードはテラスと一段下がった芝生に分けられ、周囲には夫のデビットが担当する有機農法の野菜畑や花壇、そしてクレマチスと蔓薔薇が絡む小さな

左：アシュトン家のビオトープとサマーハウス（後方）
上：愛猫バブルと薔薇「アリスター・ステラ・グレイ」

サマーハウスがある。

　ジル夫人は筆者の植物学仲間で、毎週連れ立って大学の講座に出かけた。彼女はボランティアで山野草の調査依頼を受けるほど、植物をよく知っている。本職は音楽教師で、彼女の素敵なミュージックルームからは、自らデザインした小さなビオトープが、林檎の木のそばに見えた。それはなかなかの出来映えで、いつの間にやらヤモリが棲み着き、蝶やトンボも訪れ、草むらは愛猫バブルのお気に入りの場所になっていた。

　夫妻の息子は日本人と結婚し鎌倉に住んでいるから、日本の植物にことさら親しみがあった。筆者が贈った楓の木は、ビオトープの近くで風に揺れている。キッチンからよく見える所には、餌台があり、冬には餌を啄みに来る様々な小鳥を調べ、野鳥保護の会に報告するのが二人の楽しみの一つだった。

❖ ザ・ヴァナーズ（アボッツ・ブロムリー、
　スタッフォードシャー州）

　退職した酪農家ボール夫妻は、街はずれの愛らしいコッテージに終の住処を構えていた。前庭は中央が芝生になったコッテージスタイルで、コーンウォールで見かけるマッシュルームと呼ぶ石の置物があった。ハーブと沢山のアルパイン植物が繁茂し、春には優しい香りと色合いで満たされた。屋根まで届くピンクの蔓薔薇とクレマチス・モンタナは、スーザン夫人のご自慢だった。天気のいい日には、ガーデンを眺める場所にパラソルを広げて昔話を聞いた。もちろん、濃くて美味

ザ・ヴァナーズ　イベリス（白）、
忘れな草（水色）、桜（ピンクと白）が一斉に

しいお茶と手作りのビスケット付きだ。裏庭は夫フィルの野菜畑で、リーク、ジャガイモ、ブロッコリー、芽キャベツ、フサスグリ、ラズベリー、イチゴなどと、季節の実りのお裾分けを貰ったものだ。冬にはそこに沢山の雉が餌を啄みにきていた。

　裏庭の真ん中には林檎の木があり、その向うには田園が広がる。「私達はあの方向に酪農業を営んでいて、大きなヴィクトリアンの農家に住んでいたの。だからあの景色が見えるところに住むことにしたのよ。」

　イギリス人の人生の仕舞い方は実に見事だ。退職したらより小さな家に引っ越し、最低限の必需品と思い出の品だけを残す。健康にもいい一年中楽しみの尽きない、ガーデニングとウォーキングは、彼等の何よりの楽しみだ。2009年、スーザンは天に召された。しかし、ガーデンとは人を歓迎し、共に愛でるものだと教えてくれたその優しさは、今も変わらず生き生きと甦る。イギリス人ガーデナーの情熱を思うとき、心はいつも常春の香りが漂う庭園になるのだ。

裏庭の林檎の木

＊　＊　＊

これまで紹介した庭園を巡る個人旅行を計画するならば、『イエローブック』という本も参考にしたい。1927年発足した、ナショナルガーデンスキーム（通称NGS：チャリティーのためにイギリスのプライベートガーデンを一般公開するNGO）が毎年新刊を出し、個人や村、町や公の施設の庭の公開日が網羅してある。
◎ http://www.ngs.org.uk/

おわりに

　筆者は小さなコッテージガーデンを、海の傍に作っている。梅雨と猛暑、台風に見舞われる日本の気候は、あまりイングリッシュスタイルに向かず、正直言うと骨が折れる。しかし、遷ろう季節を追いかけながら、手入れの行き届かない我庭を眺める時、スードリー城のヘッドガーデナーの、「作り過ぎ、綺麗過ぎはいけません。美しさの中に植物が持つ本来の性質、荒々しさが見える程度が理想のガーデンですよ」という言葉を思い出し、苦笑する。少々荒々しさが過ぎるが、それでも英国風の庭作りに魅力を感じるので、困っているところだ。

　最後になりましたが、本の企画を快く承諾して下さった八坂書房の皆様と、写真を交え、実用的な情報も盛り込んだ歴史書をという、編集者の三宅郁子さんの適切なアドバイスと折々の提案に、心から感謝いたします。また、恩師の元英国王立園芸協会のディレクターで、世界的なホーティカルチャリスト、F. M. ブラウズ氏、庭園史家でアッシュリッジの公文書官だった、故ケイ・サネッキー女史、キール大学の環境科学科教授ピーター・トーマス氏に、コッテージガーデン協会のパトリシア・テイラー女史、アイルランドの元ダブリン市公園主管で庭園史家のデニス・シャノン氏に、彼等の温かい助言と指導無くばこの本は存在しなかった事を覚え、心から感謝を捧げます。

　Good Gardening！

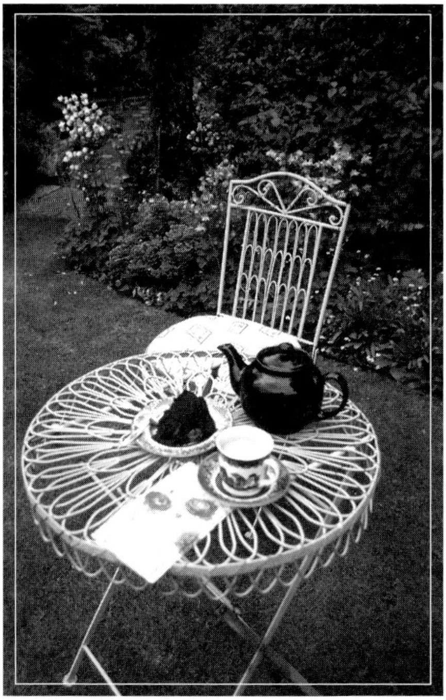

本書で取り上げたイギリス&アイルランドの庭園一覧

＊一覧の行頭の数字は地図中の番号と対応する

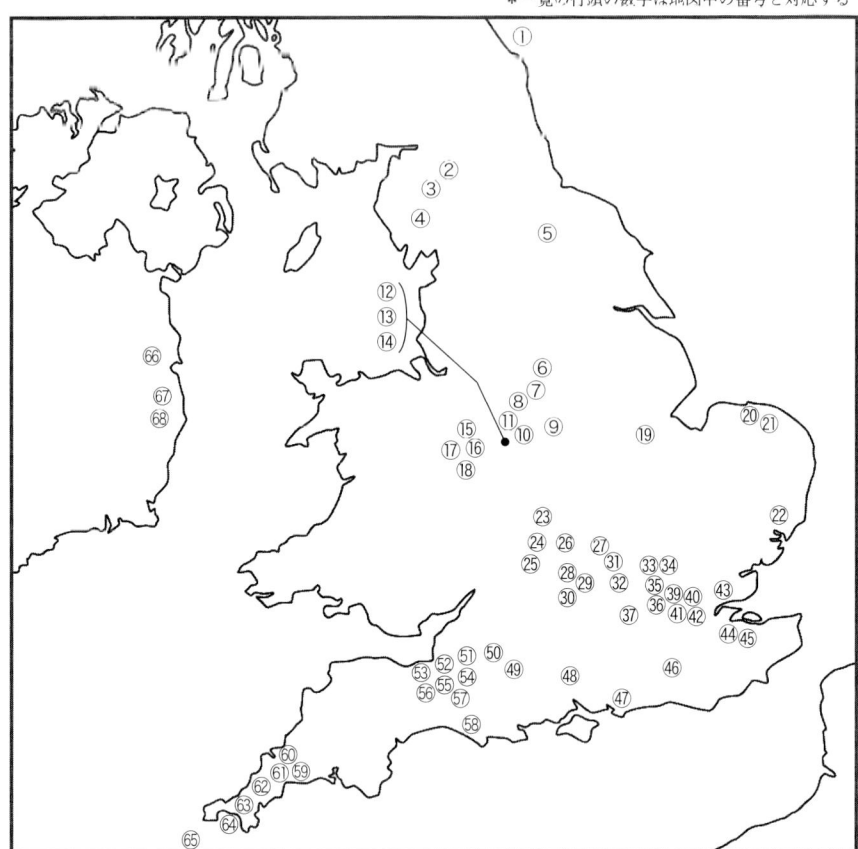

[第1章]
47 フィッシュボーン・ローマン・パレス（チチェスター、ウェスト・サセックス州）

[第2章]
17 シュルーズベリー・アビー（シュルーズベリー、シュロップシャー州）
52 聖アンドリュー大聖堂と司教宮殿跡（ウェルズ、サマーセット州）

[第3章]
44 リーズ城（メイデンヘッズ、ケント州）
48 エレノア王妃の庭（ウィンチェスター、ハンプシャー州）
37 ウィンザー城（ウィンザー、バークシャー州）
64 セント・マイケルズ・マウント（マラザイオン、コーンウォール州）
63 ペンゲーシック・カースル・ガーデン（プラアサンズ、コーンウォール州）

[第4章]
39 ハンプトンコート宮園（イーストモールジー、サリー州）
34 ハットフィールドハウス・ガーデンズ（セント・オールバンズ近郊、ハートフォードシャー州）
22 ヘルミンガムホール・ガーデンズ（ヘルミンガム、サフォーク州）
23 ストラットフォード・アポン・エイヴォン（ウォリック州）
10 アイザック・ウォルトンズ・コッテージ（ストーン近郊、スタッフォードシャー州）

[第5章]
26 ブロウトン・カースル（バンブリー近郊、オックスフォード州）
41 ハムハウス（ハム、サリー州）
39 ハンプトンコート宮園（イーストモールジー、サ

リー州）
9 メルボーン・ホール（メルボーン、ダービーシャー州）

[第6章]
40 ガーデン・ミュージアム（ランベス、ロンドン）
29 オックスフォード植物園（オックスフォード）
42 チェルシー・フィジックガーデン（チェルシー、ロンドン）
36 王立植物園キューガーデン（リッチモンド、サリー州）
66 国立植物園グラスネヴィン（ダブリン、アイルランド）

[第7章]
27 ストウ・ランドスケープガーデンズ（ストウ、バッキンガムシャー州）
49 スタウアヘッド（メア近郊、ウィルトシャー州）
5 フォンテンズ・アビーとスタドリー・ロイヤル（リポン近郊、ノース・ヨークシャー州）
28 ブレナムパレス（ウッズストック、オックスフォードシャー州）
50 プライアーパーク・ランドスケープガーデン（バース、サマーセット州）
19 バーリーハウス（スタムフォード、リンカンシャー州）

[第8章]
3 ライダル・ホール（ライダル・ウォーター、カンブリア州）
20 シェリンガム・パーク（シェリンガム、ノーフォーク州）
33 アッシュリッジ（バークハムステッド、ハートフォードシャー州）
8 イラム・ホール（イラム、スタッフォードシャー州）
7 ダブデール（ダブ渓谷、スタッフォードシャー州とダービーシャー州の州境）
6 ティッシントン（ティッシントン、ダービーシャー州）
62 トレヴィゼン・ガーデンズ（トゥルーロ近郊、コーンウォール州）
35 英国王立薔薇協会ガーデン（セント・オールバンズ、ハートフォードシャー州）

[第9章]
61 ロストガーデン・オブ・ヘリガン（ヘリガン、コーンウォール州）
11 トレンシャム・エステート（トレンシャム、スタッフォードシャー州）
32 ウェデスドン・マナー（アイレスベリー近郊、バッキンガムシャー州）
31 アスコット・ハウス（ウイングレイトン・バザード、バッキンガムシャー州）
60 ランハイドロック（ラニベット、コーンウォール州）
51 バースの公園・街路（バース、サマーセット州）
46 グレイブタイ・マナー（イースト・グリンステッド、

　ウェスト・サセックス州）
67 マウント・アッシャー（ウィックロウ近郊、アイルランド）
4 ブラントウッド（コニストン・ウォーター、カンブリア州）

[第10章]
43 ウォーリー・プレイス（ブレントウッド、エセックス州）
53 ヘスタークーム・ガーデンズ（トーントン近郊、サマーセット州）
1 リンディスファーン城（ホーリーアイランド、ノーザンバーランド州）
54 バーリントン・コート（イルミンスター近郊、サマーセット州）
25 ヒドコート・マナー（チッピング・カムデン近郊、グロスターシャー州）
24 キフツゲート・コート（チッピング・カムデン近郊、グロスターシャー州）
21 ブリックリング・ホール（ノーリッジ、ノーフォーク州）
30 バスコット・パーク（ファリンドン、オックスフォードシャー州）
68 パワーズコート（エニスケリー、ウィックロウ州、アイルランド）

[第11章]
2 ライダル・マウント（アンブルサイド、カンブリア州）
45 シッシングハースト城（クランブルック近郊、ケント州）
55 ティンティンハル・ガーデン（ヨービル、サマーセット州）
56 イースト・ランブロック・マナー（サウス・パサートン近郊、サマーセット州）
18 アイアンブリッジ渓谷（アイアンブリッジ、シュロップシャー州）
58 チルクームハウス（ドーセット州）
57 ロウワー・セブラルズ（クリューカーン、サマーセット州）
15 ドロシー・クライブ・ガーデン（ウィロウブリッジ、シュロップシャー州）
16 ウォラトン・オールド・ホール（ウォラトン、シュロップシャー州）

[エピローグ]
59 コーンウォール地方
65 トレスコ・アビー・ガーデンズ（シリー諸島、コーンウォール州）
12 カースルヒル（スタッフォード、スタッフォードシャー州）
13 ミルフォード（スタッフォード、スタッフォードシャー州）
14 ザ・ヴァナーズ（アボッツ・ブロムリー、スタッフォードシャー州）

本書で取り上げた庭園一覧

181

参考文献一覧

[全体を通して参考にしたもの]

岡崎文彬『ヨーロッパの造園』鹿島出版会　1969年
チャールズ・W・ムーア他『庭園の詩学』有岡孝訳　鹿島出版会　1998年
アンヌ・スコット‐ジェイムズ『庭のたのしみ』横山正・増田能子訳　鹿島出版会　1984年
ガブリエーレ・ヴァン・ズイレン『ヨーロッパ庭園物語』小林章夫監修・渡辺由貴訳「知の発見」
　　　双書　創元社　1999年
アンドレ・J・プールド『英国史』高山一彦他訳　白水社　1976年
藤岡謙二郎他『歴史の空間構造』大明堂　1976年
田中正大『日本の庭園』鹿島出版会　1967年
小林章夫『図説 英国庭園物語』河出書房新社　1998年
赤川裕『イギリス庭園散策』岩波アクティブ新書　2004年
川崎寿彦『森のイングランド』平凡社　1987年
片木篤『イギリスのカントリーハウス』丸善　1988年
ヒュー・ブラウン『英国建築物語』小野悦子訳　晶文社　1980年
オズバート・ランカスター『目で見る建築様式史』白石和也訳　鹿島出版会　1979年
西野博道『イギリスの古城を旅する』双葉社　1995年
木村泰司『名画の言い分』集英社　2007年
ピーター・ミルワード『イギリスのこころ』安西徹雄訳　三省堂選書　1979年
横明美『イングリッシュハーブガーデン』八坂書房　1998年
横明美「イギリス庭園史紀行」『嗜好』538-561号（1996-2001年）連載
『新改訳聖書』日本聖書刊行会
＊他に各ガーデンの英語版ガイドブック等

Richard Bisgrove, *The National Trust Book of The English Garden*, Viking, 1990
Penelope Hobhouse, *Plants in Garden History*, Pavilion Books, 1992
Geoffrey and Suzan Jellicoe, *The Oxford Companion to Gardens*, Oxford Univ. Press, 1986
Ronald King, *The Quest for Paradise*, Mayflower Assoc, 1979
Key Sanecki, *History of the English Herb Garden*, Cassell Illustrated, 1992
Anne Scott-James, *The Cottage Garden*, Allen Lane, 1981
Peter Coats, *Great Gardens of Britain*, Artus, 1977
D.G.Hessayon, *Armchair Book of The Garden England*, Expert, 1986
William Beach Thomas, *Gardens*, Burke, 1952
Jene Feanley-Whittingstall, *Historic Gardens*, Webb & Bower, 1993
Graham Rose, *The Traditional Garden Book*, Dorling Kindersley Publishers, 1989
Christopher Taylor, *The Archaeology of Gardens*, Shire Archeology, 1983
The National Trust Atlas, George Philip & Son, 1981
Mike Corbishley, etc, *The History of Britain and Ireland*, Oxford Univ. Press, 1996
Mariachiara Pozzana, *Gardens of Florence and Tuscany*, Giunti, 2001
John Dixon Hunt, *The Italian Gardens*, Cambridge Univ. Press, 1996
Sara Garland, *The Herb Garden*, Frances Lincoln Publishers, 1984

Graham Stuart Thomas, *Rose Book*, Saga Press, 1994
T. S. Eliot, *The Waste Land and Other Poems*, Faber and Faber, 1940
Garden History, 1990-2012, Quarterly Magazines of Garden History Society, UK

[第1章]
シェンケーヴィチ『クオ・ワディス』木村彰一訳　岩波文庫　1995年
タイム社ライフブックス編集部『ライフ人間世界史2　ローマ帝国』タイムライフインターナショナル出版事業部　1966年
Christopher Hibbert, *Rome : The Biography of A City*, Viking, 1985

[第2章／第3章]
朝倉文市『修道院』講談社現代新書　1995年
マーガレット・B・フリーマン『西洋中世ハーブ事典』遠山茂樹訳　八坂書房　2009年
タイム社ライフブックス編集部『ライフ人間世界史4　信仰の時代』タイムライフインターナショナル出版事業部　1967年
平井正穂編『イギリス名詩選』岩波文庫　1992年
Sylvia Landsberg, *The Medieval Garden*, Thames & Hudson, 1995
Rob Talbot & Robin Whiteman, *Brother Cadfaels Herb Garden*, Little, Brown & Company, 1996

[第4章]
タイム社ライフブックス編集部『ライフ人間世界史9　王政の時代』タイムライフインターナショナル出版事業部　1968年
金城盛紀『シェイクスピア花苑』世界思想社　1990年
ピーター・ミルワード『シェイクスピアの人生観』安西徹雄訳　新潮選書　1985年
Sergio Bertelli, *Italian Renaissance Courts*, Sidgwick & Jackson, 1986
Daniela Mignani, *The Medicean Villa by Giusto Utens*, Arnaud, 1991
Jessica Kerr, *Shakespeare's Flowers*, Kesttrel Books, 1979
C. Oscar Moreton, *Old Carnations & Pinks*, Collins, 1955

[第5章]
タイム社ライフブックス編集部『ライフ人間世界史7　宗教改革』タイムライフインターナショナル出版事業部　1967年
ジョン・ミルトン『失楽園』平田正穂訳　岩波文庫　1981年
W. Mason, *The English Garden : a Poem in Four Books*, Facsim. of ed. published York, printed by A. Ward, 1783

[第6章]
J. プレスト『エデンの園：楽園の再現と植物園』加藤暁子訳　八坂書房　1982年
アリス・M・コーツ『プラントハンター東洋を駆ける』遠山茂樹訳　八坂書房　1999年
T. ホイットル『プラント・ハンター物語』白幡洋三郎・白幡節子訳　八坂書房　1983年
タイム社ライフブックス編集部『ライフ人間世界史6　探検の時代』タイムライフインターナショナル出版事業部　1967年
小野寺健編訳『20世紀イギリス短篇選』上・下　岩波文庫　1987年
John Perkinson, *A Garden of Pleasant Flowers*, Dover Pubns, 1991
Roy Genders, *Collecting Antique Plants*, Pelham Books, 1971
Ruth Duthie, *Florists' Flowers and Societies*, Shire Garden History, 1988

E. Charles Nelson, *The Brightest Jewel : A History of the National Botanic Gardens, Glasnevin, Dublin*, Boethius Press, 1987

[第 7 章]

田路貴浩『イギリス風景庭園；水と緑と空の造形』建築雑誌 47 相澤 2000 昼

菅井口人『聖フランシスコの世界』グラフィック社 1991 年

ヤン・ヴィヴィッシュ『ヨーロッパの魅惑』浜野明訓・秋野太櫻訳 有隣美術社 1990 年

Joseph Addison, 'Pleasures of the Imagination', *The Spectator*, 25th July 1712

Mavis Batey, *Arcadian Thames*, Barn Elms Publishing, 1994

R. Gilding, *Historic Public Parks : Bath*, Avon Gardens Trust, 1997

[第 8 章]

『ワーズワース詩集』田部重治選訳 岩波文庫 1989 年

Kay N. Sanecki, *Humphry Repton*, Lifelines 28, 1974

Kay N. Sanecki, *Ashridge : A Living History*, Phillimore & Co.LTD, 1996

Jane Austen, *Pride and Prejudice*, Penguin Books, 1994

Mavis Batey, *Jane Austen and the English Landscape*, Amer Bar Assn, 1996

Deirdre Le Faye, *Jane Austen*, The British Library, 1998

[第 9 章]

『ヴィクトリア & アルバート美術館展 ヴィクトリア朝の栄光』NHK きんきメディアプラン 1992 年

『クリスチナ・ロセッティ詩抄』入江直祐訳 岩波文庫 1940 年

Jennifer Davies, *The Victorian Flower Garden*, BBC Books, 1991

Jennifer Davies, *The Victorian Kitchen Garden*, BBC Books, 1987

William Robinson, *The English Flower Garden*, Murray, 1896

John Ruskin, Selected Writings, Penguin Classics, 1964

Tim Smit, *The Lost Garden of Heligan*, A Chome/Foan Book, 1997

Hazel Conway, *Public Parks*, Shire Garden History, 1996

[第 10 章]

Gertrude Jekyll, *Wood and Garden*, Longmans, Green and co., 1899

Gertrude Jekyll & Sir Lawrence Weaver, *Gardens for small country houses*, Country Life, 1914

Gertrude Jekyll, *Colour Schemes for the Flower Garden*, Country Life, 1936

Richard Bisgrove, *The Gardens of Gertrude Jekyll*, Frances Lincoln, 1992

Deborah Kellaway, *Woman Gardeners*, Virago Press, 1996

Derek Baker, *The Flowers of William Morris*, Barn Elms, 1996

[第 11 章]

『ワーズワース詩集』田部重治選訳 岩波文庫 1989 年

Margery Fish, *Cottage Garden Flowers*, W.H. & L. Collingridge, 1961

Margery Fish, *A Flower for Every Day*, Studio Vista, 1965

The Cottage Garden Society, *The Cottage Gardener's Companion*, David & Charles, 1993

Flora Thompson, *The Illustrated Still Glides the Stream*, Century, 1984

索　引

＊本文および図版解説を対象として作成

[ア　行]

アイアンブリッジ渓谷　161
アイザック・ウォルトンズ・コッテージ　63
アイランド式花壇　115, 119
アスコットハウス　129-130
四阿（あずまや）　13, 29, 35, 44, 45, 53, 54, 58, 65, 69, 77, 115, 126, 131, 151, 152, 165
アーツ＆クラフツ運動　132, 140, 141, 144, 156, 160, 165
アッシュリッジ　114-115
アーバー　35, 36, 44, 46, 54, 58, 60, 69, 71, 73, 74, 75, 76, 142, 157, 175
アバイアリー（鳥類飼育場）　129
アム・ドゥ・ラ・レーヌ　108
アルコーブ（飾り棚）　14, 57, 101
アルハンブラ宮殿　28, 41-42
アーン（壺）　54, 59, 175
アングロ＝チャイニーズ・ガーデン　108
アン・ハサウェイズ・コッテージ　61-62
アンフィテアトロ　18, 67

イヴリン、ジョン　66, 83
『イエローブック』　5, 177
イギリス風景庭園　60, 66, 75, 76, 89, 94-108
イースト・ランブロック・マナー　159-160
イスラム庭園　27, 28, 39, 40, 41, 42
イタリア庭園　54, 67, 110, 111, 126, 128, 146, 149
イラム・ホール　117-118

ヴィクトリア女王　91, 92, 93, 116, 123, 133, 173
ヴィッラ・アドリアーナ　14-15
ヴィッラ・ペトライア　67-68
ウィリアム3世　72, 73, 74
ウィルダーネス　75, 106
ウィルモット、エレン・アン　137, 138, 139, 145
ウィンザー城　45-46, 124
ヴェッティ家中庭　17-18
ウェデスドン・マナー　128-129
ヴェルサイユ宮園　66, 68, 70-71, 97
ウォーディアンケース　120, 125

ウォラトン・オールド・ホール　165-166
ウォーリー・プレイス　138-139
ウォールガーデン　124, 126, 149, 150
英国王立薔薇協会ガーデン　122
エデンの園　6, 10, 11, 28, 37, 41, 64, 65, 76, 77, 84, 160, 167, 173
エドワーディアン　156
エドワード1世　42, 43, 44
エリザベス1世　43, 47, 53, 55, 56, 57, 58, 101, 107, 141, 156
エリザベス朝　54, 57, 60, 134, 165, 174
エレノア王妃　43, 44
エンブレマティック・ガーデン　100

オースティン、ジェーン　116, 117
オックスフォード植物園　85, 86
オランジェリー　12, 40, 70, 71, 73, 86
オランダ庭園　72, 73, 74
オーリキュラ　51, 80, 81, 155
オールドローズ　36, 45, 46, 47, 48, 55, 60, 73, 121

[カ　行]

回廊庭園　27, 28, 29, 30, 33, 41
カースルヒル　175
ガーデネスク　115, 119, 123
ガーデン・ミュージアム　79-80
カーネーション　51, 55, 58, 79, 82
カーペット花壇　127, 128, 129, 132
カメリアハウス　124, 125
カラースキーム（色彩計画）　139, 140, 144, 146, 147, 148
カール大帝　22
キッチンガーデン　60, 71, 105, 113, 158
キフツゲート・コート　147
キューガーデン　89, 90, 91, 92-93, 172
キューケンホフ公園　82
グース・フット　71

グラスネヴィン　93
グランドツアー　96, 98, 101, 103, 104, 140
クリスタルパレス　123
グレイブタイ・マナー　134
グレートハウス　53, 54, 57
クロイスター　27, 28, 33, 55
グロットー（洞窟）　66, 98, 100, 114, 115, 130, 152

ケイパビリティー・ブラウン　66, 102, 104, 105, 106, 107, 110, 111, 112, 114, 127, 148
ケント、ウィリアム　100, 101, 102, 107

コッテージガーデン　60, 61, 80, 133, 153-166
コンサヴァトリー　124, 125
コーンウォール　169, 170, 171

[サ　行]
ザ・ヴァナーズ　176
サックヴィル＝ウェスト、ヴィタ　156, 157
サブトロピカル・ガーデン　48
サマーハウス　43, 56, 110, 111, 115, 126, 176
ザンクト・ガレン修道院　23-27, 49
サンクンガーデン（沈床式庭園）　56, 57, 60, 129, 142, 144

シェイクスピア　35, 36, 50, 51, 52, 56, 61, 62, 65, 101, 131, 154, 164
シェイクスピアズ・バースプレイス　61-62
ジェキル、ガートルード　134, 139, 140, 141, 142, 143, 144, 148, 151, 157, 161, 167
ジェラード、ジョン　52
シェリンガム・パーク　113-114
シッシングハースト城　156, 157
『失楽園』　64, 65, 77, 84
シノワズリー（中国趣味）　89, 94, 95, 102
ジャパニング　71, 72, 89
ジャパネスク　150, 151, 152
ジャルディーノ・ディ・ボボリ　17-18, 39, 67, 69, 70, 95

『修道士カドフェル』　31-33
シュルーズベリー・アビー　31-33
小プリニウス　12, 13, 14, 66
ジョージ3世　89, 90, 91
ジョセフィーヌ皇妃　120, 121, 122
ジョン・トラディスカント父子　57, 78, 79, 107
『シルヴァ』　66

スタウアヘッド　102-103
スタッフォード　174, 175, 176, 177
スタドリー・ロイヤル　103-104
スチュワート朝　60, 63, 64-77
ストウ・ランドスケープガーデンズ　95, 99, 100, 101, 102, 103, 107, 108
ストラットフォード・アポン・エイヴォン　61-63

聖アンドリュー大聖堂　33-34
聖書　9, 19, 21, 30, 38, 41, 57, 65, 85, 99, 169
聖フィアクル　21, 22, 29, 30, 31
セント・マイケルズ・マウント　48, 131, 170

[タ　行]
『太陽の楽園、地上の楽園』　82, 83
ダブ渓谷　63, 117, 118

チェルシー・フィジックガーデン　87-88
チャイナローズ　120, 121
チャールズ2世　65, 66, 71, 73, 76
チューダー朝　48, 50-63, 127, 129, 143, 145, 146
チューリップ　51, 55, 58, 79, 81, 82, 83, 138, 159
チルクームハウス　161-162

ティッシントン　118
ティンティンハル・ガーデン　157-158
天球儀　53, 54

トスカーナ荘　12, 13, 14, 18
トピアリー　14, 53, 55, 58, 69, 73, 131, 147, 149
トレヴィゼン・ガーデンズ　120

トレスコ・アビー・ガーデンズ　171-173
トレンシャム・エステート　127-128
ドロシー・クライブ・ガーデン　164-165

[ナ　行]

ナーサリー（種苗業者）　74, 75, 76, 79, 80, 100, 127, 129, 148, 159, 162, 163
ナショナル・トラスト　48, 71, 80, 102, 103, 104, 107, 114, 115, 118, 129, 132, 143, 145, 147, 149, 151, 156, 157, 170
ナチュラライズ（帰化、馴化）　93, 121, 133

日本庭園　3, 4, 5, 90, 93, 96, 99, 126, 150, 151, 152

ネオ・ゴシック様式　110, 114, 115, 118

ノットガーデン　54, 55, 57, 58, 59, 60, 61, 80, 127
ノートルダム・ド・レラン修道院　20-21

[ハ　行]

ハイ・ヴィクトリアン　123-136
バウアー　44, 57
パーキンソン、シドニー　89, 90
パーキンソン、ジョン　82
バース　131
バスコット・パーク　149-150
バックヤード（裏庭）　5, 54, 62, 155, 177
ハットフィールドハウス　57-58, 78, 79, 107
『花、穀物、果樹』　83
ハーハー　92, 93, 96, 99
ハーバー　35, 36, 37, 41, 44, 49, 60
バビロニアの空中庭園　10
ハーフティンバー様式　60, 61, 62
ハーベーシャス・ボーダー　61, 127, 128, 133
ハムハウス　71-72
パームハウス　92, 125
パラディアン建築　99, 101, 103, 107
パリセイド　69, 146
バーリーハウス　107

バーリントン・コート　144
パルテル　60, 65, 67, 68, 69, 70, 71, 72, 73, 74, 76, 79, 106, 107, 129, 130, 148, 152, 148
パルテル・ド・ブロドリー（刺繡花壇）　66, 67, 69, 71, 74, 75, 76
パルテル・ドランジェリ　69, 70
パワーズコート　151-152
バンクス、ジョセフ　89, 90, 91
バンケッティング・ハウス　56
ハンプトンコート宮園　55, 56-57, 71, 72-73, 74, 75, 77

ビオトープ　5, 133, 159, 176
ピクチャレスク　109, 110, 112, 113, 116, 117, 118, 119
ピーク・ディストリクト　63, 116, 117, 118, 174
日時計（サンダイヤル）　53, 54, 58, 62, 129, 162, 165
ヒドコート・マナー　144, 145, 146
ピリオドガーデン　57

フィッシュボーン・ローマン・パレス　15-16
フィルム・オルネ　60, 97, 100, 108, 117
風景式庭園　→イギリス風景庭園
フォーマルガーデン　57, 61, 157
フォンテンズ・アビー　103-104
プッサン、ガスパール　97, 108
プライアーパーク・ランドスケープガーデン　106-107
ブラウン、ランスロット　→ケイパビリティー・ブラウン
フラワーショー　5, 73, 80, 120, 129, 163, 164, 172
フラワリーミード　37, 38, 39, 55
フランス式整形庭園　65, 66, 95, 168, 169
ブラントウッド　136
プラントハンター　78, 79, 90, 92, 93, 114, 126, 137, 145
プリヴィーガーデン　72, 73, 74, 76
ブリックリング・ホール　148

ブリッジマン、チャールズ　89, 95, 96, 99, 102
ブレナムパレス　105-106
フローリスト　51, 80, 82
フロントヤード（前庭）　5, 54, 155, 175, 176
ブロンプトンパーク　74, 75, 76
噴水　11, 14, 15, 18, 27, 28, 30, 39, 41, 44, 54, 57, 58, 69, 70, 71, 72, 76, 86, 91, 106

ベーコン、フランシス　77
ヘスターコーム・ガーデンズ　141-142
ヘット・ロー宮殿　72, 73, 74, 94
ヘネラリフェ離宮　28
ペルシャ庭園　27, 38, 39
ヘルミンガムホール・ガーデンズ　59-60
ペンゲーシック・カースル・ガーデン　48-49

ホーティカルチャー（園芸学）　125
ホールズ・クロフト　62-63
ポンペイ遺跡　13, 17-18

［マ　行］

マウント　54, 55, 56, 58
マウント・アッシャー　135
マグパイ建築　63
マルメゾン城　121, 122

ミニマリズム　151
ミルトン、ジョン　64, 65, 76, 77, 84
ミルフォード　175

メアリー 2 世　72, 73
メイズ　44, 57, 58, 72
メルボーン・ホール　75, 76

モリス、ウィリアム　132, 140

［ラ・ワ行］

ライダル・ホール　110-111

ライダル・マウント　153, 154
ラウドン、ジョン・クラウディウス　119, 123, 126, 131
ラッチェンス、エドワード　140, 141, 142, 143, 146, 167
ラビリンス　43, 44, 69
ランズバーグ、シルビア　33, 35, 44
ランドスケープ・アーキテクト　100, 104, 113
ランハイドロック　130-131

リーズ城　43
リボン花壇　127, 128, 129, 130, 131, 132
リモナイア　12, 18, 70
リンディスファーン城　143

ルドゥテ　121

レイ、ジョン　83
レバノン杉　9, 10, 29, 49, 120
レプトン、ハンフリー　111, 112, 113, 114, 116

ロウワー・セブラルズ　162-163
ローザ、サルバトール　98, 105, 109
ロザモンドの四阿　44, 45
ロストガーデン・オブ・ヘリガン　126
ロセッティ、クリスティナ　132
露壇式庭園　54, 67, 18
ロックガーデン　125, 133, 137, 138, 139, 151
ロッジア（涼み回廊）　157, 158
ロトンド　98, 99, 100, 101, 113
ロビンソニアンスタイル　135
ロビンソン、ウィリアム　132, 133, 134, 135, 140, 151, 154, 155
ロラン、クロード　97, 103, 109

ワイルドガーデン　126, 133, 135, 139, 151
ワーズワース、ウィリアム　109, 110, 134, 153, 154

横　明美（よこ　あけみ）

ガーデンヒストリアン。
1956年生まれ。明治大学文学部卒。1990年より2年間イギリスのコーンウォール州に家族留学し、州立プロブス・デモンストレーションガーデンズで、ガーデニング、植物画、英国風生け花を学ぶ。帰国後は能登半島で夫とヨココッテージガーデンを作り、四季の恵みに囲まれた田舎暮らしをしている。
またアッシュリッジの公文書官で庭園史家だった、故ケイ・サネッキー女史に師事し、イギリス、アイルランド、ジャージー諸島などで、講演、執筆を行なうなど、国内外で広く活躍。2001年には、英国ナショナル・トラストが50年ぶりに開いた国際会議に招待され、東洋からただ一人出席した。
2005年から3年間、スタッフォード州で、キール大学成人講座の植物学、環境科学等を受講。2008年以降は、イタリアのフィレンツェと日本を往来しながら、ヨーロッパの庭園文化とアート、西洋と日本の交流史などで、カルチュラル・ファーティリゼーション（異文化交流の相乗効果）を研究している。
著書に『イングリッシュハーブガーデン』（八坂書房）、『ポケットガイド6　ハーブ図鑑』（小学館）等がある。
英国庭園史協会会員。一女の母。

旅するイングリッシュガーデン ―図説 英国庭園史―

2012年11月24日　初版第1刷発行

著　者	横　　明　美
発行者	八　坂　立　人
印刷・製本	モリモト印刷（株）
発行所	（株）八坂書房

〒101-0064　東京都千代田区猿楽町1-4-11
TEL.03-3293-7975　FAX.03-3293-7977
URL.: http://www.yasakashobo.co.jp

ISBN 978-4-89694-142-5　　落丁・乱丁はお取り替えいたします。
　　　　　　　　　　　　　　無断複製・転載を禁ず。

©2012　Yoko Akemi

関連書籍のご案内

イングリッシュ・ハーブガーデン
―田舎暮らしにあこがれて
横 明美著
もっと素敵にガーデニング！花とハーブのプロフィールを織りまぜながら、英国流田舎暮らしの楽しみを語る。優しいコッテジャーと、花々に彩られた生活、ネイション・オブ・ガーデナーの国が、心豊かな人生の過ごし方を教えてくれる。　四六　1800円

ガーデニング植物誌
大場秀章著
寒い冬は「こたつ園芸」で植物に癒されよう。植物文化史の第一人者が綴る園芸植物誌＋江戸時代の図譜・浮世絵＋西洋18～19世紀のボタニカルアート＋植物写真の贅沢なコラボが実現。カラー図版200点余！　　　　　　　　　　　　四六　1900円

オールド・ローズ・ブック
―バラの美術館
大場秀章・望月典子 共著
ボタニカル・アートと西洋絵画に描かれた魅力溢れるオールド・ローズについて、古代より愛され続けてきた歴史や花に込められたメッセージなどを、植物文化史のオーソリティと気鋭の美術史家がやさしく説く。美しいカラー図版130点。　A5　2400円

名画に見る
フラワー・アレンジメントの歴史
J.ベラル著／栗山節子訳
現代のアレンジメントの手本となった美しい17世紀オランダ・フランドルの花卉画、風俗画や肖像画に描き込まれた花などのヴィジュアル資料を手がかりに、古代から20世紀に至るまでの花をアレンジして飾ることの歴史を200点の図版で解き明かす。
　　　　　　　　　　　　　　　　A5　2400円

関連書籍のご案内

花の西洋史事典
A.M.コーツ著／白幡洋三郎・白幡節子訳

花を巡る逸話や民俗風習、世界各地から導入された植物のヨーロッパにおける園芸史などを、膨大な資料渉猟から詳細に解き明かす、定評ある花の文化史事典。114項目を取り上げ、巻末に関係人物の小事典を付す。植物の参考図版410点。　A5　4800円

花を愉しむ事典
―神話伝説・文学・利用法から
花言葉・占い・誕生花まで

J.アディソン著／樋口康夫・生田省悟訳

約300種の植物について、名前の由来や神話・伝説・民俗から利用法までを記す。さらに、近代詩や文学からの引用、誕生花や花言葉、占星術との関係などポピュラーな情報をも盛り込んだ、植物を愉しむための小事典。　　　　　　　　　　四六　2900円

花と果実の美術館
― 名画の中の植物

小林頼子著

狩野派・琳派・浮世絵などの日本美術、ボッティチェリ・デューラー・ゴッホ・ミュシャらの西洋絵画、ミケランジェロ・ベルニーニの彫刻、ボタニカルアートからタバコや日本酒のパッケージまで……魅力溢れる東西の美術を眺めながら、描かれた花・樹木・果実のシンボリックな意味を読み解く。　A5　2400円

西洋中世ハーブ事典
M・B・フリーマン著／遠山茂樹訳

中世のヨーロッパで身近にあった70余種のハーブについて、当時の料理書、家政書、本草書ほか信頼の置ける第一級の史料を手がかりに、料理・治療・芳香料・毒薬などとして日常的にどのように用いられていたかを中心に記述する。　　　四六　2200円

チャールズ・ペルジーニ
《温室にて》